Dilek Zaptcioglu

Der Mond isst die Sterne auf

DIE AUTORIN

Dilek Zaptcioglu wuchs in Istanbul und Hamburg auf und studierte Geschichtswissenschaften in Istanbul und Göttingen. Bis 1988 war sie Chefredakteurin der Zeitschrift »Bizim Almanca« (Unser Deutsch). Seither arbeitet sie als Deutschlandkorrespondentin der türkischen Tageszeitung »Cumhürriyet« sowie für verschiedene deutsche Tages- und Wochenzeitungen (»Der Tagesspiegel«, »taz«, »Die Woche«).
»Der Mond isst die Sterne auf« ist Dilek Zaptcioglus erster Roman.

Dilek Zaptcioglu

Der Mond isst die Sterne auf

THIENEMANN TASCHENBUCH

THIENEMANN TASCHENBUCH BEI OMNIBUS

Band 26122

Umwelthinweis:
Dieses Buch wurde auf chlorfrei gebleichtem Papier gedruckt.

Erstmals als Thienemann Taschenbuch
bei OMNIBUS Dezember 2001
Der OMNIBUS Taschenbuchverlag gehört zu den Kinder- & Jugendbuch-Verlagen in der Verlagsgruppe Random House
Gesetzt nach den Regeln der Rechtschreibreform

Umschlaggestaltung: Klaus Renner
go · Herstellung: Peter Papenbrok
Satz: KCS GmbH, Buchholz/Hamburg
Druck: Clausen & Bosse, Leck
ISBN 3-570-26122-0
Printed in Germany

www.omnibus-verlag.de

10 9 8 7 6 5 4 3 2 1

Für Can

Die Handlung und die Personen dieser Geschichte sind frei erfunden. Irgendwelche Ähnlichkeiten wären unbeabsichtigt und rein zufällig.

I

Das regelmäßige Rattern der Räder mischte sich unter das Geflüster der Männer im Abteil. Erst zog die thrakische Ebene mit ihren fruchtbaren, grünen Feldern vorbei, dann kam die Grenze. Die türkischen Zollbeamten gingen hastig durch die Waggons, der Dolmetscher, der zugleich die Übermittlungsarbeit der Männer bis zu ihren Ankunftsorten erledigte und dafür von den Deutschen bezahlt wurde, reichte den grimmigen Beamten die eingesammelten Pässe. Sie waren nagelneu, die Ausreisedokumente, kein einziger Fleck befand sich auf den frisch gestempelten Seiten. Der Pass war das neue heilige Buch der Männer geworden, sie hatten ihn gepflegt und gehütet, würde er sie doch wie eine magische Formel über alle Grenzen schleudern, bis hin nach Deutschland, in die fremdeste Fremde, die es bis dahin gegeben hatte.

»Stimmt es, dass die Deutschen die Neuankömmlinge töten, um sie zu Seife zu verarbeiten?«, hatte gleich nach der Abfahrt ein Mann aus Erzurum den Dolmetscher gefragt. Für einen Moment war es im Abteil unheimlich still geworden, alle hatten betroffen auf den Boden geschaut, wie eine Bande von Verbrechern, die sich ergreifen lässt, ohne die Beute vorher unter-

einander aufgeteilt zu haben. Der Dolmetscher hatte unerhört geflucht, bevor er ging, und sich bis zur Grenze nicht mehr gezeigt. Aber der Schreck saß den Männern im Abteil noch lange in den Knochen.

Kaum einer schlief. Gelegentlich wurden Proviantpakete geöffnet, Brot und Käsestücke, Äpfel und selbst gebackene Rosinenteilchen wurden einzeln ausgewickelt und wortlos miteinander geteilt. Gelbbraune Felder zogen vorbei, die Ernte schon eingeholt, die wilde, hügelige Landschaft des Balkans, wo der Zug auf seinem Weg am Bergrand manchmal so nahe an den Abgrund kam, dass den Männern der Atem stockte. Unten schlängelte sich ein schmales Flüsschen durch ein runzliges Tal, vereinzelte Häuser deuteten auf Menschen hin, jemand glaubte sogar zwischen den Dächern ein Minarett erkannt zu haben, was ein kurzes Gespräch über die Gebetszeiten verursachte, die man als Reisender nicht einzuhalten brauchte. Aber kein Thema war interessant genug, um die selbst gewählte Stille für längere Zeit zu unterbrechen. Man rauchte, nickte kurzzeitig ein, träumte im Halbschlaf vor sich hin, ging im Gang vor den Abteilen auf und ab und wartete.

Wartend und träumend hatten sie schon Wochen und Monate verbracht, bevor sie im großen, rußgeschwärzten Bahnhof Istanbuls in diesen Zug gestiegen waren. Erst war die Nachricht in die Dörfer gelangt, dass Deutschland türkische Arbeiter anheuern wollte. In Seyfullahs Dorf wurde die Botschaft von einem cleveren Burschen gebracht, der schon vor drei Jahren nach Istanbul gegangen war, um dort sein Glück zu suchen, unter dem Pflaster, wo es vor Gold nur so wimmeln sollte. Einmal war er nach zweieinhalb Jahren zu-

rückgekommen, um seinem Vater die Hand zu küssen, es war Opferfest, alle Männer hatten sich im Kaffeehaus versammelt und bedächtig den Erzählungen des Mannes gelauscht. »Das Gold ist da, bestimmt!«, hatte er gesagt. »Aber es ist so tief vergraben, dass man nicht sofort rankommt.« Daraus hatten die Männer geschlossen, dass es ihm bisher nicht gelungen war, den Schatz Istanbuls zu heben. Warum sollte er sonst immer noch denselben Anzug tragen, den er sich vor seiner Abreise bei einem fliegenden Händler in der Kreisstadt gekauft hatte? Der Mann war nach zwei Tagen wieder gegangen, danach kam das Gerücht auf, dass er den Schatz Istanbuls sehr wohl gehoben hatte, es jedoch vor den Dörflern verheimlichte, um nichts davon abgeben zu müssen.

Als derselbe Mann nach der Erntezeit wieder erschien, war er wie verwandelt. Aufgeregt, ja völlig außer sich hatte er erzählt von Deutschland, von den vollen Zügen, die jeden zweiten Tag den Bahnhof in Istanbul verließen, von großen und blonden Deutschen, die von weit her gereist waren, um die Bewerber zu untersuchen, und davon, dass nur wenigen das Glück beschieden war, die große Reise zum Geld anzutreten. Er hatte sich im Kaffeehaus in die Mitte neben den Ofen gestellt und gefragt: »Wer will seiner Familie nicht ein Leben in Reichtum und Zufriedenheit bereiten?« Schweigend hatten sie alle dagesessen, die Blicke gesenkt, wohl wissend, dass sie die Armut miteinander teilten, eine Armut, die schon ihre Großväter und Väter miteinander geteilt hatten, und die sie ihren Kindern vermachen würden. Aber einfach weggehen, was würde das bedeuten? Und für wie lange? Würde die Frau, noch jung und gesund, voll stillen Verlangens, so lange auf ihren Mann warten? Was würde ohne Vater aus den Kindern werden? »Frau und Kinder brauchen einen Mann«, hatte schließlich ein Älterer gesagt, »ohne Hirten verliert sich die Herde. Das bringt nur Unglück.«

Sie hatten sich angesehen und sich dann trotzdem wortlos darüber verständigt, dass sie gehen würden. Die Jungen, die Gesunden. Es war nicht nur die Armut, die Seyfullah aus dem Dorf trieb, ein Auskommen hatten sie schlecht oder recht, verhungern musste niemand. Aber diese Stille, die im Kaffeehaus immer herrschte, dieses Warten waren kaum auszuhalten. Sein Leben war wie die große, endlose Hochebene, die sich morgens in der Dämmerung so nackt und nichts sagend vor seinen Augen ausbreitete, er konnte bis zu ihrem Ende sehen, alles, was sie zu bieten hatte, war in die kleinen Rillen und Furchen dieser Erde eingeritzt, Dürre und Kälte, Hitze und Eis wechselten sich ab, nichts, aber auch gar nichts passierte, war in der Vergangenheit passiert und würde sich in Zukunft je ereignen. Hier stand die Welt still und endete, für ihn und alle anderen vor und nach ihm, irgendwo zwischen der Erde und dem weiten Himmel, zwischen zwei Gläsern Tee und in der stickigen Enge der Gassen.

Er lag unter einem weißen Laken, umhüllt von einem dünnen weißen Hemd, und so, wie er da lag, reglos, durch Schläuche an zahllose Apparate und Flaschen angeschlossen, durch eine Sauerstoffmaske unmerklich ein- und ausatmend, unterschied er sich kaum von den Bildern, die ich zuvor tausendmal im Fernsehen oder Kino gesehen hatte. Er hatte nicht jenen imposanten Bauch, der sogar im Liegen die Tücher spannt und einem Mann in seinem Alter diese gewisse Würde verleiht. Nein, er war schon immer schlank gewesen, fast mager. Nun lag er da wie ein Kind, das seinem Alter weit voraus ist, mit dem ernsten, beinahe traurigen Gesichtsausdruck, der ihn nie verlässt, ein Kind, das sich aus welchem Grund auch immer weigert, Nahrung zu sich zu nehmen, und das nun bestraft werden muss, indem man ihm seinen Willen raubt und die Entscheidung über sein Leben und seinen Tod auf Maschinen überträgt.

Es war für mich schon immer unmöglich gewesen, mir meinen Vater als Kind vorzustellen. Ein Kind mit dem Namen Seyfullah, das war so lächerlich wie ein Baby, das auf den Namen Wilhelm oder Herbert hört. Auf den wenigen, braun getönten Bildern, die ihn als Kind an der Seite seines Vaters vor dem Gebäude der Dorfgendarmerie zeigten, wobei mein Großvater eine ungeheuer lange Schrotflinte auf der Schulter trug und dreinblickte, als ob er seinen Sohn gerade aus den Krallen eines wilden Bären befreit hätte, da sah mein Vater immer wie ein kleinwüchsiger Erwachsener aus.

»Jetzt müssen Sie aber gehen!« Die kräftige Männerstimme riss mich aus den Gedanken. Es war der Arzt, mit dem ich vorhin auf dem langen Flur vor dem Zimmer, in dem mein Vater lag, gesprochen hatte.

Ich sah weiter durch das kleine Fenster der Intensivstation, in der alles weiß zu sein schien: Das Bett, die Tücher, die Apparate, die Wände, alles gewaschen, gebleicht, sterilisiert. Das Gesicht meines Vaters hatte sich der ihn umgebenden Farblosigkeit angepasst. Ein Chamäleon, Zeit seines Lebens um Anpassung bemüht, unsichtbar. Jetzt war es ihm beinahe gelungen.

»Wann wird er denn aufwachen?«, fragte ich den Arzt.

»Das können wir nicht sagen. Das hängt von den Umständen ab, die ich Ihnen vorhin schon erklärt habe.« Er schaute mich vorwurfsvoll an. Ich schämte mich fast meiner Frage. »Sein Herz ist immer noch sehr schwach. Und die Lungen haben sich nicht gänzlich vom Wasser reinigen können.« Er drängte mich in den Flur, ohne mich zu berühren. In seinem weißen Kittel schien er ein magnetisches Feld zu erzeugen, das jeden anderen wie einen Antipol abstieß und auf Distanz hielt.

Ich schritt den Flur entlang und ging auf meine Mutter zu, die zusammengekauert auf der Kante eines Stuhls im Besuchszimmer saß. Sie spielte nervös mit dem Zipfel ihres Kopftuches und warf dabei verstohlene Blicke nach allen Seiten, als ob sie Angst hatte, wegen irgendetwas, was sie getan haben mochte, bestraft zu werden. »Wieso sitzt du nicht bequem, Mutter?«, schrie ich sie fast an. »Warum lehnst du dich nie an, wenn du dich hinsetzt, warum blickst du immer so um dich, als ob du gleich abgeholt werden würdest, verdammt noch mal!« Ich wünschte, sie würde aufspringen und mir eine knallen. Wie mich das befreit hätte! Aber sie stand nur auf, klein, eingeschüchtert, traurig, und wartete, dass ich ihr vorausging, den Weg nach draußen zeigte, die Tür öffnete. Wir liefen wortlos zur U-Bahn. Sie blieb immer einen Schritt zurück. Sie ging zu langsam. Oder ich war zu schnell.

Wann endet die Jugendzeit? Kann man ein Datum setzen, an dem man selbst seine Jugend für beendet erklärt, um nun bewaffnet mit der nötigen Reife heldenhaft durchs Leben zu schreiten? Ich hatte meine für endlos gehalten. Das Leben schien mir damals ein großer, wallender Fluss zu sein, und ich war ein bunter Fisch, der gern darin badete. Ich liebte das Leben, ich hatte den Drang, ja fast den zwanghaften Wunsch, es Tropfen für Tropfen zu genießen, ich wollte alle Ozeane der Welt durchschwimmen, ich wollte sie austrinken, leeren und ich glaubte nicht, dachte nicht an Erschöpfung. Ich dachte nicht an Alter. Vor allem dachte ich nicht an den Tod.

Doch gab es ihn, und – banal ausgedrückt – klopfte er nun an unsere Tür. Das Ganze begann in einer lauen Nacht im Mai und endete, wenn man es überhaupt als beendet betrachten kann, im Sommer, bevor sich die deutschen Wälder in ein Heer von aufrechten Soldaten verwandelten, die ihre bunten Gewänder zugunsten von braunen Einheitskleidern abgeworfen haben. Die Ereignisse jenes Frühsommers wurden zu einem Wendepunkt in meinem Leben, sie nahmen mir nicht nur die Unbeschwertheit der Jugend, um mich plötzlich um Jahre altern zu lassen, sie veränderten für uns auch das sorgsam gepflegte Gesicht dieses Landes, sie hinterließen Narben, die von Hass und Misstrauen erzählten, sie wurden zu Vorboten eines Wandels, nach dem für mich nichts mehr so sein sollte, wie es einmal war.

Und wer hätte das je geahnt? Ich jedenfalls nicht, ich, Ömer, der kleine Pascha der Familie Gülen. Einer Familie, die es bereits vor meiner Geburt in ein neues Land verschlagen hat, einer Familie unter vielen und doch anders, wie mir schon im frühen Alter bewusst geworden ist. Mein Vater hat vor dreißig Jahren sein Dorf mitten in Anatolien gegen Hamburg eingetauscht, wo er eine Stelle auf den Docks bekam, indem er vorher seine Papiere fälschen ließ und sich als gelernter Schweißer verkaufte. Das weiß ich von meinem älteren Bruder Adnan, dem solche Dinge unerklärlicherweise viel Spaß machen. Der Vater fälscht als junger Mann seine Dokumente, wie aufregend. Und wofür? Um schließlich sein ganzes Leben am Fließband zu verbringen.

»Mit einem Holzkoffer in der Hand«, wie er uns immer wieder erzählte, war er nach Deutschland gekommen, um uns, also seiner Familie, die es zwar damals noch nicht gab, die er jedoch gewiss gründen würde, eine bessere Zukunft zu bereiten. Er würde abends nach der Arbeit in seinem gerippten Unterhemd am Tisch sitzen, bei seinem Schafskäse und Raki, während meine Mutter Gläser und Besteck hin und her trug, um es sich schließlich mit ihrem Strickzeug vor dem Fernseher bequem zu machen und alles in sich hineinzusaugen, was der Bildschirm ihr bot. Und er würde nach zwei Gläsern immer denselben Satz von sich geben: »Alles, was ich getan habe, habe ich für euch getan …« Den dünnen Zeigefinger auf mich gerichtet, erzählte er den Nachbarn: »Den habe ich damals mit seiner Mutter und seinem Bruder nach Berlin geholt, nach dem Anwerbestopp.« Geheiratet hatte er meine Mutter in einem Sommerurlaub im Dorf, wo ich meine frühste Kindheit verbracht habe, eine Zeit, von der in meinem Gedächtnis nicht viel haften geblieben ist, wahrscheinlich deshalb, weil dort in all den Jahren nichts Besonderes passierte. Nur an eines kann ich mich sehr gut erinnern: an den Schnee und wie wir ihn in Eimer füllten, um ihn anschließend zu trinken. Geschmolzener Schnee hat einen eigenartigen, metallischen Geschmack, er bleibt in der Kehle stecken wie ein spitzes Messer.

Wenn mein Vater von alten Zeiten erzählte, würden seine Gäste immer bedächtig mit dem Kopf nicken. In den langen Pausen, die entstanden, weil mein Vater entweder einen Schluck von seinem Schnaps nahm oder ein Stück Käse in seinen Mund schob, würden alle in ihre eigenen Gedanken versinken, und an ihren Gesichtern würde stets zu erkennen sein, dass diese Gedanken keine unbeschwerten, leichten waren, sondern aus schmerzhaften, ja fast quälenden Bildern bestanden. Oder war es eher ihre Zukunft, an die sie dachten, eine Zukunft, die sich vor ihnen auftat wie ein weißes Blatt? Ich hatte immer das Gefühl, dass für diese älteren Männer die Erinnerung an die Vergangenheit geradewegs in einer Angst vor der Zukunft mündete, und dass in dieser Welt die Gegenwart keinen Platz hatte.

»Ömer sprach damals natürlich kein Wort Deutsch«, erzählte mein Vater unermüdlich, »er sprach überhaupt sehr wenig. Und wie er weinte, als er eingeschult wurde! Der Junge wollte nicht zur Schule, jetzt ist er Klassenbester. Ömer ist mein ganzer Stolz, er wird es viel weiter bringen als ich.«

So ging das endlos weiter. Aber ich war nicht der Beste

in meiner Klasse, meine Zeugnisse wiesen nur durchschnittliche Noten auf. Manchmal dachte ich, dass er selbst daran glaubte, was er den anderen erzählte, während auf dem Kassettenrekorder eine Frau unaufhörlich von Sehnsucht und Liebe sang. Die Wahrheit verschmolz in diesem Haus fast unausweichlich mit den Träumen, sogar die Wahrheit über seine Kinder schien für ihn nichts anderes als eine Nebensächlichkeit zu sein, eine Fußnote in einem billigen Handbuch über die Gründung einer Kleinfamilie mit Fremdkapital und wie sie am effektivsten zu verwalten ist. Ich hätte als Zuhälter oder Saxophonspieler arbeiten können, meine Eltern hätten es nicht gemerkt. Denn sie schauten sich meine Zeugnisse nicht an, sie sprachen nicht mit Lehrern, sie kannten meine Freunde nicht, sie fragten nie, wo ich mich herumtrieb, und sie glaubten alles, was ich ihnen erzählte, ohne nach dem zu fragen, was ich ihnen verschwieg.

Nun schien diese Ordnung ein für alle Mal zerstört zu sein. So ist es also, dachte ich mir in jenen Tagen und Wochen unentwegt, plötzlich passiert etwas Unvorhergesehenes, etwas, das alles Bisherige auf den Kopf stellt, einen aus der Bahn wirft und es einem selbst überlässt, was man aus seinem künftigen Leben machen wird: Entweder du schaust allem zu wie die Statisten auf der Leinwand und spielst nur deinen Part, ohne dich um das Drumherum zu kümmern, oder du bist eben der Indiana Jones selbst, steckst dein Messer in den Gürtel, packst das Seil und wagst den Abstieg in die Schlangenhöhle, um nach dem verdammten Gral zu suchen.

Alles begann damit, dass mein Vater eines Nachts nicht nach Hause kam. In der Wohnung war es wie gewöhnlich sehr ruhig. Meine Mutter saß mit ihrem Strickzeug vor dem Fernseher und verfolgte mit einem Auge die türkischen Gameshows und Volksmusikkonzerte, die über Satellit über die ganze Erde verteilt werden. Ich saß in meinem Zimmer am geöffneten Fenster und versuchte, mich auf meine Bücher zu konzentrieren, die sich auf meinem Schreibtisch stapelten. Es war warm, viel zu warm für einen Maiabend. Berlin hatte sich in eine Mittelmeermetropole verwandelt, man saß in Straßencafés bei kaltem Bier oder Frascati, schwatzte, schaute den leicht bekleideten Mädchen nach, die auf ihren Fahrrädern vorbeisausten, mit schwingenden Röcken und im Sonnenstudio gebräunten Beinen. Die Menschen fühlten sich wie im Urlaub und hatten strahlende Gesichter, war doch die Sonne kostenlos bis vor ihre Haustür gekommen (Adnan sagt immer, die Deutschen würden sich gleich hineinlegen, wenn sie umsonst eine Grabstelle angeboten bekämen), und wenn ich nicht etwas Besseres zu tun gehabt hätte, wäre ich auch hinausgegangen, zum Ku'damm gefahren, hätte mir ein Eis geholt und wäre an den Schaufenstern entlanggebummelt, um irgendwann später in der Nacht im *Diwan* meine Freunde zu treffen. Stattdessen saß ich in meinem Zimmer und las Heines *Harzreise*.

Die schriftlichen Abiturprüfungen hatte ich schon hinter mir, die mündliche stand unmittelbar bevor, und ich wusste, dass ich es wie immer nur dann schaffen würde, wenn ich alles auswendig lernte. Mein Gedächtnis hatte mich bis dahin nie im Stich gelassen, im Gegensatz zu meinem Denkvermögen, das heute noch zuweilen wie durch einen plötzlichen Stromausfall außer Betrieb gesetzt wird. Ich habe ganze Passagen von Shakespeares *Ein Sommernachtstraum* auswendig gelernt, um sie dann bei der Abschlussprüfung in Englisch fehlerfrei wiederzugeben. Ich erinnere mich heute noch an das Datum jedes verdammten Krieges und jedes Friedensabkommens, das je in der Geschichte der Menschheit geschlossen wurde. Nur die Zusammenhänge sind etwas verschwommen.

Heine sprach von der Treue. Andere Völker mögen gewandter sein, witziger und ergötzlicher, hatte er geschrieben, aber keines ist so treu wie das treue deutsche Volk. Heine spottete über die Deutschen und meinte, sie hätten die Treue erfunden, wenn es sie nicht vorher schon gegeben hätte. Ich fragte mich, was die Türken wohl erfunden hätten. Es müsste das Nomadenleben sein, dahin zu gehen, wo man satt wird, wie mein Vater immer sagte. Ich dachte über Treue nach. Sie erschien mir untrennbar von Bodenständigkeit, Heimatverbundenheit. Nomaden zogen jedoch immer weiter. Aber mein Vater beugte sich jedes Mal, wenn er in Istanbul aus dem Flugzeug stieg, herunter und küsste die heimatliche Erde, eine seiner vielen lächerlich übertriebenen Gesten. Die Türken hätten bestimmt die Sentimentalität erfunden.

Es wurde eine lange Nacht, in der meine Mutter in Abständen hereinkam, um ein Glas kalte Cola oder einen Teller Obst auf den Tisch zu stellen, geschält, geschnitten, entkernt. Nach diesen stillen Liebesbotschaften zog sie sich wortlos in ihr Schlafzimmer zurück. Ich wusste, dass sie nicht schlief, sondern auf ihrem Bett saß und Karten auslegte und auf mich wartete; ich wusste genau, dass sie mit mir aufblieb, wie ein heimlicher Komplize, aus dessen unsichtbarer Existenz man die Kraft schöpft weiterzumachen, und ich war dankbar dafür, nur sagen konnte ich es ihr nie.

Es wurde Mitternacht, ein Uhr, zwei Uhr, mein Vater kam nicht nach Hause. Ich lag mit meinen Büchern auf dem Bett, irgendwann schlief ich ein. Morgens würde ich im Pyjama unter der warmen Decke aufwachen, zu dem herrlichen Geruch frisch gebackenen Brotes und einem großen Glas Orangensaft, ich würde mich fragen, wann ich mich umgezogen und ins Bett gelegt hatte. An diesem Morgen jedoch wurde ich durch fremde Stimmen aus dem Schlaf gerissen.

Meine Mutter rüttelte an meiner Schulter. »Ömer, steh auf, die Polizei ist an der Tür!«

Ich schlüpfte hastig in meine Klamotten und torkelte schlaftrunken zur Wohnungstür, in der zwei Beamte standen, ein jüngerer in Uniform, der sich zurückhielt, und ein älterer in Zivil, der wohl nicht nur durch sein Alter und seine Erfahrung, sondern auch durch seinen Rang das Sagen hatte. Als sie mich sahen, zückten sie ihre Dienstmarken und baten um Eintritt.

»Sind Sie die Familie von Herrn ...«, der Ältere warf einen kurzen Blick auf den gelben Merkzettel in seiner Hand, »Seyfullah Gülen?«

»Ja«, sagte ich verwirrt.

»Kommissar Löbel von der Wache Görlitzer Bahnhof. Wie lange vermissen Sie Ihren Vater schon?«

»Vermissen? Warum?«, brachte ich mit Mühe hervor.

»Sie werden doch wohl wissen, ob er gestern Nacht nach Hause kam oder nicht!«, entgegnete der Mann ungehalten, was ihm im nächsten Moment Leid zu tun schien, denn er fuhr in einem freundlicheren Ton fort: »Wir möchten nur wissen, ob Ihr Vater am Abend zu Hause war und an welchen Orten er sich aufgehalten hat, bevor er …«

Meine Mutter ließ ihn nicht weitersprechen, sie zupfte mich am Ärmel und sagte leise auf Türkisch: »Sag Ihnen nicht, dass er gestern Abend nicht nach Hause gekommen ist! Was mag nur geschehen sein? Wer hat die Polizei gerufen?«

Als er das Wort *polis* hörte, schnitt ihr der Ältere das Wort ab und sagte ungeduldig: »Ihr Vater liegt im Krankenhaus. Er ist heute Morgen dort eingeliefert worden. Gegen drei Uhr. Man hat ihn aus der Spree gerettet.«

»Aus der Spree? Wie ist das passiert?«

»Das können wir besser auf dem Revier besprechen. Kommen Sie mit. Haben Sie einen Ausweis? Ihre Mutter braucht nicht mitzugehen. Erklären Sie ihr nur kurz, was passiert ist.«

»Ein Unfall?«, fragte sie die Polizisten, so viel hatte sie verstanden.

»Das versuchen wir gerade herauszufinden«, sagte der Ältere.

Sie schaute mich ängstlich an. Ich wies sie an, so schnell wie möglich meinen Bruder zu verständigen. Er würde um diese Zeit noch im Bett liegen, denn in seinem Lokal wurde es immer spät. Sie sollte ihm erzählen, dass mein Vater im Krankenhaus lag, wahrscheinlich einen Unfall gehabt hatte und dass die Polizei mich mit aufs Revier nahm.

Die Stadt rekelte sich in der ersten Morgensonne, auf den breiten Alleen waren vereinzelt Menschen auf dem Weg zur Arbeit zu sehen, vielleicht kehrten sie aber auch erst jetzt nach Hause zurück. Ich fühlte mich miserabel. Ein Kloß hatte sich plötzlich in meinem Hals festgesetzt, ich begann stark zu husten.

»Erkältet?«, fragte der Jüngere, der am Steuer saß. »Bei dem Wetter? Man soll's nicht für möglich halten.«

»Passen Sie auf – hier links!«, fuhr der ältere Polizist ihn an. Er verzog sein Gesicht und murmelte etwas Unverständliches, dann schwieg er, bis wir vor der Polizeiwache parkten. Hier sah es aus wie nach einem Nuklearunfall, eine unheimliche Stille hatte sich über die Kreuzung gelegt, an der das Revier stand, kein Mensch war weit und breit zu sehen, sogar die Vögel schienen diesen Ort verlassen zu haben. Ich nahm dies alles in Sekundenschnelle wahr, wie ein Zeichen, das auf etwas noch Schlimmeres hindeutet. Die Stille erschreckt mich immer, nun jagte sie mir regelrecht Angst ein. Nur der Tod und alles, das mit ihm zusammenhängt, kann so still sein, das Leben ist laut. Und es hatte mich von einem Tag zum anderen plötzlich im Stich gelassen. Auch in dem Gebäude selbst herrschte Ruhe, einige Beamte saßen an ihren Schreibtischen und tranken Kaffee, die Telefone standen still, draußen fuhr ein einzelnes Auto kreischend vorbei, niemand beachtete uns.

Der Kommissar lotste mich in einen Raum am Ende des Korridors, der den gesamten linken Flügel des modernen Gebäudes einzunehmen schien. Er setzte sich an den großen Schreibtisch und bedeutete mir mit seinem Kopf, auf dem Stuhl gegenüber Platz zu nehmen. Ich blieb mitten im Raum stehen.

»Sie sind Ömer Gülen, geboren 1975 in Kayseri«, stellte er fest. »Müssen Sie heute zur Arbeit? Aber es ist ja noch früh.« Er schaute auf die Uhr an der Wand, es war kurz nach fünf. »Wir wollen Sie nicht lange aufhalten«, sagte er, während er die Papiere auf dem Tisch ordnete. Ich fühlte mich gezwungen etwas zu sagen. Also erzählte ich ihm kurz, dass ich zur Schule ging und dieses Jahr mein Abitur machte.

Meine Antwort schien ihn zu überraschen. Er musterte mich interessiert.

»Was ist meinem Vater passiert?«, fragte ich, als er nichts sagte.

Sein Gesichtsausdruck veränderte sich erneut, er faltete die Hände über dem Tisch wie zum Gebet und senkte den Kopf. »Mein Junge«, sagte er leise, »wie ich schon sagte, dein Vater ist gestern Nacht in den Fluss gefallen.« Nach einem tiefen Atemzug fuhr er fort: »Er war nicht betrunken. Kein Tropfen Alkohol im Blut. Das Wasser war nicht sehr kalt, aber er kann offenbar nicht schwimmen.

Er schrie um Hilfe. Man hat ihn per Zufall gehört und im letzten Moment gerettet. Das ist alles, was wir bis jetzt wissen.« Er bot mir ein Glas Mineralwasser an und nahm selbst einen Schluck. »Du kannst ihn nachher besuchen, er liegt auf der Intensivstation des Viktoria-Krankenhauses.«

Ich wusste nicht, was ich sagen sollte. Der Kloß in meinem Hals drohte mich beinahe zu ersticken. Mich packte dieses seltsame Gefühl, das mich seit jenen Tagen an den unmöglichsten Orten überkommt, es ist, als ob ich für eine Ewigkeit vergessen hätte, wo ich bin, ich muss mir dann ständig wiederholen: »Du sitzt jetzt in der U-Bahn und fährst nach Hause« oder: »Du bist im Seminarraum«. Erst dann wird mir allmählich wieder klar, wo ich bin. Nun versuchte ich, alle meine Sinne auf dieses verdammte Polizeirevier zu konzentrieren, das war bestimmt kein Traum, denn ich sah mich immer noch mitten im Raum stehen und dem Kommissar zuhören.

»Dem ersten Anschein nach war es ein Unfall«, sagte der Kommissar jetzt und zeigte mit dem Daumen seiner linken Hand, die er immer noch gefaltet hielt, Richtung Tür. »Gleich kommt der Wirt. Dein Vater ist kurz vor dem Unfall in sein Lokal gekommen, um Zigaretten aus dem Automaten zu ziehen. Kurz darauf hörte man seine Hilferufe. – Möchtest du lieber einen Kaffee?«

Ich schüttelte den Kopf. »Wo ist er überhaupt ins Wasser gefallen?«

»An der Oberbaumbrücke. Kennst du die Gegend?«

»Ja.«

»Es gibt dort ein niedriges Holzgeländer. Der Uferstreifen fällt steil ab, es sind vielleicht zehn Schritte vom Gehsteig zum Wasser. Bäume dazwischen.«

Ich hatte die Stelle vor Augen, sie sah genauso aus, wie der Kommissar sie beschrieb: Krumm gewachsene Bäume säumten das Ufer, Schilder warnten vor dem Ertrinken. Jedes Jahr passierten hier Unfälle, meistens waren es kleine Kinder, die beim Spielen ins Wasser fielen und von der Strömung mitgerissen wurden, nicht zuletzt deshalb war Schwimmen Pflichtfach in den Grundschulen.

»Hast du Geschwister?«, fragte er mich nach einer Pause, die eine Ewigkeit dauerte. Zu meiner Überraschung bemerkte ich, dass ich jetzt auf dem Stuhl saß. Meine Hände waren nass vom Schweiß. Ich wischte sie lange an meinen Jeans ab.

»Ich habe einen Bruder«, sagte ich unentschlossen.

»Älter, jünger, Name?«

»Adnan«, sagte ich, »er ist fünf Jahre älter als ich.«

»Kannst du das mal buchstabieren?«

Ich buchstabierte Adnans Namen und erzählte ihm, dass er am Savignyplatz ein Restaurant betrieb. Nachdem der Kommissar sich alles säuberlich notiert hatte, fragte er mich plötzlich: »Wo warst du eigentlich gestern Nacht um diese Zeit? Sagen wir mal, zwischen Mitternacht und drei Uhr?«

»Zu Hause«, antwortete ich automatisch, »ich habe geschlafen.« Er lehnte sich zurück und fixierte meine Hände, die ich immer noch an den Oberschenkeln rieb. »Warum fragen Sie mich das?«

»Na, wer weiß?«, sagte er, während jemand hereinschaute und die Tür wieder hinter sich schloss. »Väter und Söhne, darüber hat man Bände verfasst, oder?«

»Wird er überleben?«, fragte ich ihn, während ich darüber nachdachte, woher ein durchschnittlicher Kommissar Ahnung von russischer Literatur hatte. Ich war zu aufgeregt, mich an den Namen des Schriftstellers zu erinnern. Warum hatte ich ihn gefragt, ob mein Vater überleben würde? Warum hatte ich nicht einfach gefragt, wie es ihm ging, was die Ärzte sagten, Fragen, die ein normaler Mensch in so einer Situation stellen würde? Ich versuchte wieder, meinen Geist einzufangen, der an dem Kloß in meinem Hals vorbeigeschlüpft zu sein schien und nun irgendwo an der Decke hing, um die ganze Szene in Ruhe beobachten zu können.

Das Telefon klingelte.

»Löbel hier ... ja ... ja«, sagte der Kommissar, »um fünfzehn Uhr, keine Verspätung, ich hab's diesmal eilig.« Dann wandte er sich wieder zu mir, hielt einen Moment inne, als ob er sich erinnern müsste, wer ich überhaupt sei und was ich hier in seinem Büro tat.

»Ob er am Leben bleiben wird?«, wiederholte er meine Frage. »Tja, das musst du die Ärzte fragen.« Er stand unvermittelt auf, während er weitersprach: »Hat dein Vater Feinde gehabt?«

»Feinde?« Ich wiederholte die Frage, ohne sie richtig zu begreifen.

»Komm schon, mein Junge! Was hat er denn so gemacht? Hatte er Arbeit?«

»Klar hat er Arbeit. Bei Siemens.«

»Und nach der Arbeit, was hat er danach so getan?«

»Er kommt gewöhnlich sofort nach Hause.«

»Immer?«

Ich schaute ihm ins Gesicht, verärgert darüber, dass er von meinem Vater wie von einem Toten sprach. Auch wenn er sterben mochte, war er noch am Leben und auch wenn ich nicht abergläubisch bin, gefiel es mir überhaupt nicht, dass sein Schicksal von einem Fremden, einem deutschen Polizeikommissar obendrein, vorweggenommen wurde.

»Immer«, sagte ich trotzig, »ja, er kommt jeden Tag nach Feierabend sofort nach Hause!« Nach einer kurzen Pause fügte ich mit gleichgültiger Stimme hinzu: »Nur am Wochenende geht er ins Kaffeehaus, zu seinen Freunden.«

»Welches Kaffeehaus ist das?«

»Ich glaube, es heißt *Irmak.* Am Kottbusser Tor.«

Auch das notierte er sich. »Aha. Wer treibt sich denn da so rum, weißt du das? Linke, Kurden, Mullahs? Selbst mal da gewesen?«

»Nein.«

»War er in letzter Zeit verändert? Hat er einen ...« – er öffnete seine Hände und suchte nach einem passenden Wort – »... traurigen, resignierten Eindruck gemacht?«

»Nein.«

Er schaute mich lange wortlos an. »Na gut«, meinte er dann, »du kannst jetzt gehen. Weißt du, wie du zum Krankenhaus kommst?«

Ich schüttelte den Kopf.

»Du steigst in die U-Bahn, fährst bis zur Kochstraße. Von da aus sind es nur fünf Minuten. Ein rotes Backsteingebäude, nicht zu verfehlen.«

Ich stand auf und wusste einen Moment nicht, ob ich ihm die Hand geben sollte. Er kam mir zuvor, schüttelte mir kurz die Hand und machte mit einer schnellen Bewegung die Tür auf. Draußen auf dem Flur standen zwei Männer, die zu uns herüberblickten. Ich machte die Tür wieder zu. »Sie haben doch von einem Lokal gesprochen«, sagte ich, »welches Lokal ist das?«

Er schaute mich erst verdutzt an, überlegte dann kurz und sagte: »Die *Fliege*. 'ne Eckkneipe. Ich hab dir doch schon gesagt, wo das ist.« Er sah mir direkt in die Augen. Seine waren von einer undefinierbaren Farbe, etwas zwischen Grün und Blau, von tiefen, dunklen Rändern umgeben. Er hatte schütteres Haar, das an der Stirn schon ziemlich ausgefallen war, und eine große, prägnante Nase. Er sah freundlich, aber angestrengt aus. »Mein Junge«, sagte er wieder, »nicht, dass du irgendwelchen Blödsinn anstellst, wir kümmern uns schon darum. Hast du mich verstanden?« Die letzten Worte hatte er fast befehlend ausgesprochen.

Ich gab ihm noch einmal die Hand und murmelte: »Ja, okay.«

Ich fuhr erst nach Hause, holte meine Mutter ab und gemeinsam machten wir uns dann auf den Weg ins Krankenhaus, wo wir erfuhren, dass mein Vater große Mengen Wasser geschluckt hatte, und dass seine Lungen es ihm noch nicht erlaubten, ohne künstliche Beatmung am Leben zu bleiben. Die Nachricht von der Atmungslähmung traf mich wie ein harter Schlag. Er kann nicht mehr atmen! Dieser einfache Satz ging mir nicht mehr aus dem Sinn. Der Arzt erklärte mir unverblümt, dass er bleibende Schäden davontragen würde, wie starke, das könne er nicht sagen. Er gab mir zu verstehen, dass wir überhaupt froh sein mussten, wenn er am Leben blieb.

Der erste Tag verlief wie ein Albtraum. Meine Mutter saß auf der Kante der Couch am Fenster und weinte ununterbrochen, während Nachbarinnen Essen und heiße Getränke hereintrugen und dabei eine Atmosphäre schufen, als ob mein Vater schon gestorben wäre. Alte, weinende Frauen kamen herein, sie setzten sich zu meiner Mutter und schlugen mit ihren Händen auf ihre Schenkel, zupften ihre Kopftücher zurecht und beklagten den bösen Blick, der uns wie ein Schicksalsschlag getroffen habe. »Erblinden sollen jene Augen!«, schrie eine und alle schüttelten wortlos ihre Köpfe, während meine Mutter mit dem Zipfel ihres Kopftuches ihre Tränen wegwischte. Von Bleigießen bis hin zu einer Reise zu einem Ahmet Hodscha nach Duisburg wurden verschiedene Bekämpfungswege des Bösen vorgeschlagen und ausdiskutiert. Alle waren sich darüber einig, dass unsere Familie dieses Schicksal nicht verdient hatte. An diesem ersten Tag schien keiner der Nachbarn daran interessiert zu sein zu erfahren, wie es überhaupt zu diesem Unfall gekommen war, der meinen Vater beinahe das Leben gekostet hatte. Die Männer, die diese Frage gewiss gestellt hätten, waren bei der Arbeit oder im Kaffeehaus, und die Frauen kümmerten sich um die Hinterbliebenen, das heißt um meine Mutter. Eine stellte irgendwann die Frage, was meinen Vater so spät noch auf die Straße und erst recht in diese unwirtliche, dunkle Ecke der Stadt getrieben haben mochte, aber sie ging Gott sei Dank bei dem großen Gejammer und Geschrei unter. Wir hätten sie noch nicht beantworten können.

Adnan war auch gekommen. Er saß nutzlos herum, mit blutunterlaufenen Augen, denn er arbeitete bis mindestens drei Uhr in seinem Lokal und hatte diesen Morgen nicht ausschlafen können. Auch er fühlte sich in der Gegenwart von so vielen weinenden Frauen unwohl, schaute andauernd nervös auf seine Uhr und schwieg. Wir gingen vors Haus und schritten die Bismarckstraße auf und ab. Dabei wechselten wir ein paar Worte, die sich um die Frage drehten, weshalb unser Vater ins Wasser gestürzt sein konnte.

»Was hatte er dort nur zu suchen?«, wiederholte Adnan unentwegt. »Um die Uhrzeit! Was hatte er dort nur verloren?« Ich hatte beinahe das Gefühl, dass er sich über meinen Vater ärgerte, denn er hatte die Familienordnung durcheinander gebracht, indem er mir nichts, dir nichts in den Fluss gefallen war.

Das sollte meine erste schlaflose Nacht werden. Ich saß auf dem Balkon, rauchte fast eine halbe Packung Zigaretten, spielte unzählige Partien Backgammon mit dem Computer, klimperte sinnlose Takte auf meiner Gitarre, blätterte in Büchern, ohne ein Wort zu begreifen, und dachte nach.

Seit ich denken konnte, war mein Vater oft spät nach Hause gekommen. Meine Mutter machte das Essen fertig, betete, wartete, strickte, schaute fern, er kam einfach nicht. Erst wenn ich schlafen ging, und ich ging nie vor Mitternacht ins Bett, hörte ich, wie sich der Schlüssel im Schloss drehte, wie mein Vater in die Wohnung schlich, das Flurlicht kurz ein- und ausmachte, um den Weg zum Bad zu finden, und wie er dann leise im Schlafzimmer verschwand.

Einmal hatte ich meine Mutter gefragt, ob er ihr denn erzählte, wo er gewesen war. Sie hatte mich völlig verwundert angesehen und gesagt: »Deinen Vater fragen, wo er war? Warum sollte ich?«

»Anne, willst du nicht wissen, wo er war, wenn er so spät nach Hause kommt?«

»Ömer, die Familie ist das Wichtigste. Nichts, was sich hier abspielt, darf jemals nach außen getragen werden. Alles bleibt in der Familie.«

»*Was* bleibt in der Familie?«, hatte ich sie gefragt, denn ich war durch das, was sie gesagt hatte, erst recht neugierig geworden.

»Es ist nichts. Dein Vater geht ins Kaffeehaus und spielt dort Karten. Das ist alles.«

»Warum macht ihr dann so ein Geheimnis daraus? Meinst du, die Nachbarn sehen ihn nicht dort bis Mitternacht hocken?«

»Es ist kein Geheimnis«, sagte sie, »aber schön ist das

auch nicht. Deshalb sollte man nicht überall darüber reden. Jedem das Seine.«

Tausend Bilder, Worte, Gesten spukten in meinem Kopf, ihr entgeisterter Blick, die sorgfältig gewählten, leise, fast angstvoll ausgesprochenen Worte, die Bestimmtheit, mit der sie über die Familie und meinen Vater sprach, die Fremdheit, die zwischen ihnen beiden herrschte, wenn sie abends zusammen am Tisch saßen, diese bedrückende Stille. Nicht einmal der unaufhörlich laufende Fernseher konnte sie übertönen. Dann dachte ich, dass diese Grübelei eigentlich keinen Zweck hatte, denn es war bestimmt ein Unfall gewesen, vielleicht wollte er sich am Ufer etwas ausruhen, vielleicht hatte er etwas gesehen, das er aufheben wollte, und dabei war er gestolpert. Aber warum hatte der Kommissar dann so viele Fragen gestellt – ob mein Vater Arbeit hatte, ob er nach Feierabend sofort nach Hause kam, in welchem Kaffeehaus er Karten spielte, ob er Feinde hatte? Das machte doch alles keinen Sinn. Hatte er überhaupt sein Geld noch bei sich, als er ins Krankenhaus gebracht wurde? Seine Brieftasche, wo war sie? Wo waren seine Sachen? Dann fielen mir Szenen aus schlechten Krimis ein, wo die Angehörigen des Toten den Inhalt seiner Taschen überreicht bekommen, und ich jagte diese Frage schnell wieder aus dem Kopf. Weshalb nur hatte der Kommissar gefragt, ob mein Vater Feinde hatte? Gab es Anhaltspunkte dafür, dass er überfallen worden war, von jemandem ins Wasser gestoßen, war er etwa das Opfer eines Verbrechens geworden? Aber warum?

Ich beschloss, mich wieder anzuziehen und zu Adnan ins Restaurant zu fahren. Meine Mutter sagte nichts, als ich die Tür hinter mir schloss. Ich schwang mich auf mein Fahrrad und nahm den kürzesten Weg zum Savignyplatz. Es war fast Mitternacht, das ungewöhnlich milde Wetter hatte alle in die offenen Kneipen und Restaurants hinausgetrieben. Unter den S-Bahn-Bögen spielte ein Trio »New York, New York«. Die billigen Pizzerien waren überfüllt mit Touristen, die mehrere Tische zusammengestellt hatten, übermüdete Kellner reichten Biergläser herum, stellten Rechnungen aus, brachten dampfende Pizzen und bunte Eisbecher.

Das Lokal meines Bruders lag in einer Seitenstraße, gegenüber von zwei stadtbekannten Edelkneipen Berlins, wo die Schickeria sich ein Stelldichein gab, besonders zu Zeiten der Filmfestspiele. Journalisten, Schauspieler, Regisseure, Schriftsteller und Künstler gehörten hier zur Stammkundschaft und Adnan hatte sie im Blick gehabt, als er das Lokal von einem Griechen übernommen hatte, der nach zwanzig Jahren Deutschland, voller Hass auf sein freiwilliges Exil, die Koffer gepackt hatte und nach Korfu verschwunden war, wo er mit seiner deutschen Frau ein kleines Spielkasino übernommen hatte. Adnan hatte die gesamte Einrichtung erneuert, die folkloristischen Requisiten, die Griechenlandposter an den weiß getünchten Wänden und alle geflochtenen, dickbauchigen Demestika-Flaschen hinausgeworfen, um einen leeren und nichts sagenden Raum zu schaffen. »Das ist postmodern, Junge, davon verstehst du nichts«, hatte er gesagt. Wenigstens verstand der italienische Koch seine Kunst, aber die Produkte seines Schaffens wurden auf viel zu großen Tellern in viel zu kleinen Portionen dargeboten; und dass man nach so einer Mahlzeit nur halb gesättigt nach Hause ging, schien weder Adnan noch die Kundschaft zu stören, denn das Restaurant war stets überfüllt, und ohne Reservierung war es kaum möglich, einen Platz zu bekommen.

Ich lehnte mich an die Theke und ließ mir von dem Barkeeper Ali einen Sherry geben. Adnan huschte in langer weißer Schürze durch die Tischreihen und blieb bei einem Paar stehen. Er hatte einen riesigen Nachtischteller in der Hand. »Prego, Signorina!«, sagte er zu der Mittvierzigerin, die über das ganze Gesicht strahlte. »Ach, Adriano, Sie sind ein Charmeur!« Mein Bruder lächelte sie höflich an und sagte: »In Napoli sind alle Frauen Signorinas und alle Männer Mafiosi!« Schallendes Gelächter übertönte das Stimmengewirr im Lokal, die Pärchen an den Nachbartischen schauten neugierig und eifersüchtig zu den Auserwählten hinüber, die mein Bruder an seinem großzügigen Charme und feinen Humor teilhaben ließ. Als er mit neuen Bestellungen zur Theke eilte, bemerkte er mich.

»Adriano!«, sagte ich laut. »Der Plural von *signorina* ist nicht *signorinas*, was für ein Italienisch lernst du eigentlich auf der Volkshochschule?«

»Quatsch nicht rum«, sagte er verärgert, »du siehst doch, dass ich zu tun habe. Was machst du eigentlich hier?« Er warf einen Blick auf seine Uhr. »Um die Zeit! Wieso hast du meine Mutter allein gelassen?«

»Ich wollte nur kurz vorbeischauen. Konnte nicht einschlafen. Wegen dieses blöden Kommissars. Wieso stellt er so viele Fragen? Er redet so, als ob man es auf meinen Vater abgesehen gehabt hätte, ich meine, er kann doch auch selbst das Gleichgewicht verloren haben und ins Wasser gestürzt sein, oder?«

»Klar ist er selbst hineingefallen, das passiert doch am laufenden Band. Er hat einfach Pech gehabt«, sagte er, »verdammtes Pech. Wir haben alle Pech gehabt.«

»Du denkst immer nur an dich selbst!«, sagte ich laut. »Dir wäre es lieber gewesen, wenn mein Vater gleich gestorben wäre!«

Er schaute sich verlegen um und sah neue Leute durch die Tür kommen. »Ich habe jetzt keine Zeit«, sagte er genervt. »Und morgen früh muss ich endlich mal ausschlafen. Ich schaue am Mittag bei euch rein. Geh jetzt sofort nach Hause. Sofort, verstanden!«

»Ja, ja, ich geh schon«, sagte ich, während Adnan mit *buona-sera*-Rufen zum gläsernen Eingang eilte.

II

Es war unheimlich. War es die wechselnde Farbe der Oberfläche oder die Vorstellung der ungeheuren Tiefen, die sich darunter verbargen, was Seyfullah einen unbeschreiblichen Schreck einjagte, als er das Meer zum ersten Mal sah? Die ersten Nächte im Sechserzimmer des Heims verbrachte er schlaflos. Der Dolmetscher hatte ihnen ihre Betten gezeigt und er hatte ausgerechnet das obere am Fenster bekommen. Es gab keine Gardine, keinen Vorhang, der den Blick auf das Meer, das sich direkt unter seinen Augen erstreckte, abschneiden konnte. Er legte sich hin und blickte wie gebannt hinaus, auf die beleuchteten Kolosse, die Docks hießen und auf denen Männer in blauen Overalls Tag und Nacht herumkletterten, er lauschte dem regelmäßigen Geräusch der Hämmer und einer Maschine, von der er später lernen sollte, dass sie »die Pumpe« hieß, er sah auf das schwarze Meer hinaus. Und er weinte.

Das zweite Mal weinte er, als er mit einem Eimer voll dunkelroter Farbe und einem großen Pinsel in der Hand in fünfzehn Meter Höhe über dem Meeresspiegel auf einem schmalen Gerüst saß und an der rechten Seite des Containerschiffes entlang in die dunklen Tiefen hinabblickte. Diesmal blieben die

Tränen jedoch nicht unbemerkt. Der deutsche Meister brachte ihn zum Betriebsarzt, der mit ihm auf eine Baustelle im Hafen fuhr, nach ihm die Treppe des Rohbaus hinaufkletterte, ihn nicht aus den Augen ließ und dabei lächelnd irgendwelche Geschichten erzählte, von denen Seyfullah kein Wort verstand. Der alte Doktor schickte ihn dann mit einem Zettel, den er eilig ausgefüllt hatte, wieder zum Meister zurück. Der las sich das Blatt durch und rief den Dolmetscher herbei. Sie berieten kurz, während Seyfullah verlegen herumstand und sich zu Tode schämte, so viel Ärger im deutschen Betrieb verursacht zu haben. Der Dolmetscher packte ihn am Ärmel und sie gingen gemeinsam die Treppen zum Heim hinauf. Als sie die Tür hinter sich geschlossen hatten, fragte er Seyfullah: »Warum hast du uns nicht gesagt, dass du an Höhenangst leidest?« Worauf der nur antwortete: »Bei uns ist die Erde flach wie ein Teller.«

Aber Seyfullah war von Gott gesegnet, denn er durfte bleiben. Nur eine gut bezahlte Arbeit auf den Docks war in ungreifbare Ferne gerückt, nicht nur wegen seiner Angst vor den endlosen Tiefen, sondern auch deshalb, weil die Betriebsleitung sich durch seine Angabe, gelernter Schweißer zu sein, betrogen fühlte. Dass er nicht einmal etwas von Bunsenbrennern verstand, war schon in den ersten Tagen herausgekommen. So versprach er, dem allmächtigen Dolmetscher ein ganzes Jahr lang ein Drittel seines monatlichen Verdienstes abzugeben, als Gegenleistung bekam er eine Stelle auf den Landungsbrücken.

Er lernte, wie man mit einem Stock, an dessen Ende ein spitzer Nagel befestigt war, die weggeworfenen Fahrkarten, Servietten, Quittungen und andere Papierteile am geschicktes-

ten aufpickte. Schon nach zwei Monaten hatte er den persönlichen Rekord von fünfunddreißig Teilen am Spieß gebrochen und sich der Vierzigermarke genähert.

Im Nachhinein betrachtet, erscheint es nicht verwunderlich, doch an jenem Morgen konnte ich es einfach nicht fassen. Ein Foto meines Vaters, wie er hilflos auf dem weißen Bett lag, schmückte in überdimensionaler Größe die Titelseite. Darüber war in riesigen Lettern, so fett und schwarz wie die Kakerlaken im zweiten Hinterhof, zu lesen: »Nun reicht's!« Links unten war ein weiteres, kleines Bild meines Vaters abgedruckt, es zeigte ihn vor dem Hauptbahnhof in Hamburg. Als Bildunterschrift der Satz: »Seyfullah Gülen (59) – Mit welchen Hoffnungen kam er nach Deutschland …«

Ich stand morgens um sieben im Jogginganzug am Kiosk, hatte zwei Packungen Zigaretten in der Hand und die *Yeni Vatan,* die meinen Vater gleich in ihrer nächsten Ausgabe zur Schlagzeile gemacht hatte.

Es kam noch dicker: »Fragen an die deutsche Polizei«, stand fett gedruckt in einem Kästchen. »Wo sind die Skinheads, die am Tatort gesichtet wurden?« Ein Foto von der Oberbaumbrücke war ebenfalls zu sehen, mit der Bemerkung: »Hier griffen die Monster an.« Ein Leitartikel folgte: »Wie lange sollen wir das denn noch ertragen?«, fragte die Zeitung.

Ich überflog den Inhalt. »Seyfullah Gülen ist nicht Seyfullah Gülen«, hatte der Autor tatsächlich geschrieben. Er bewies seine Behauptung mit pathetischem Überschwang: »Seyfullah heißt mit eigentlichem Namen Ali, Ahmet, Mehmet, Hasan. Und wir alle heißen von nun an Seyfullah. Wir wohnen alle in Rostock, Mölln, Solingen, Hattingen – und jetzt auch in Berlin.« Die Zeitung widmete einen ganzen Absatz dem Umstand, dass der »rassistische Überfall« hier stattgefunden hatte. »In Berlin lebten die Türken bis jetzt friedlich mit den Deutschen zusammen. Aber der Mauerfall hat die Atmosphäre in der Stadt völlig verändert. Nun scheint die neue Hauptstadt erneut zum Symbol des hässlichen Deutschland zu werden. Ist die Mauer auf die Köpfe der Türken gefallen?« Zum Schluss wurden »die deutschen Verantwortlichen« dazu aufgerufen, »die Täter zu finden und gebührend zu bestrafen«. Sonst fänden die Opfer keine Ruhe.

In Rekordzeit war ich wieder zu Hause. Inzwischen war auch meine Mutter aufgewacht, sie stand im Morgenmantel am Herd und setzte den Tee auf. Ich hielt ihr die Titelseite der Zeitung vors Gesicht. Sie nahm sie in die Hand und studierte die Bilder. »Was steht da?«, fragte sie aufgeregt. »Was haben sie denn über uns geschrieben?« Ich erzählte es ihr in allen Einzelheiten, las ihr den Leitartikel vor und schaute mir die Seite ganz lange an. »Naziler!«, schrie ich aufgeregt. »Sie schreiben, dass mein Vater ein Opfer der Nazis geworden ist, das schreiben sie!«

Sie hörte mir ganz ruhig zu, während sie die Zeitung wieder in die Hand nahm und sich die Bilder anschaute. Sie zeigte fast gar keine Reaktion.

»Sag mal, Mutter, wie kommen sie eigentlich zu diesem Foto meines Vaters?« Ich zeigte auf das vom Hamburger Hauptbahnhof. »Das andere haben sie wohl gestern im Krankenhaus gemacht, es ist mir zwar ein Rätsel, wie sie das geschafft haben, aber dieses hier ...«, ich hielt meinen Zeigefinger wie ein Irrer auf das Bahnhofsbild, »wie kommen sie zu diesem Bild?«

Sie ließ den Kopf auf ihre linke Schulter fallen und sagte kleinlaut: »Gestern Nacht, kurz nachdem du weggegangen bist, ist ein junger Mann gekommen, in Adnans Alter. Er erzählte mir, dass er von der Zeitung sei. Er war sehr höflich. Er sagte etwas von Skinheads und der Feindschaft gegen uns. Ich gab ihm das Bild, weil ich in der Schublade dort kein anderes gefunden habe.« Dabei zeigte sie mit einer ungelenken Bewegung ihrer rechten Hand auf den Wandschrank und zupfte mit der anderen ihr Kopftuch zurecht.

»Wie konntest du!«, schrie ich sie an. »Alles bleibt in der Familie!« Ich ahmte ihre Stimme nach. »So sagst du doch immer! Nun kennt uns jeder im Land! Dank deiner großzügigen Hilfsbereitschaft!«

Sie saß mit unbeweglicher Miene auf der Couchkante und sprach ganz leise: »Man soll die Schweine finden und bestrafen. Die Schweine, die deinen Vater fast umgebracht haben. Was hat er ihnen denn getan? Hat er nicht ein ganzes Leben für die Deutschen geschuftet? Hat er denn nicht alles geduldig ertragen, sich nie krank gemeldet, keine Überstunden gescheut? Er hat den Deutschen seine Gesundheit geopfert. Ist das der Dank dafür?«

»Mutter, das sind nicht deine Worte. Wer sagt denn so was?«

»Der junge Mann war sehr höflich. Sie haben Mitleid mit uns«, sagte sie, »sie wollen uns helfen. Wer soll uns denn sonst helfen?«

Ich musste zur Schule. Skinheads. Das Wort ging mir nicht aus dem Kopf. Dieser Kommissar hatte mir tatsächlich nicht die ganze Wahrheit erzählt. Während ich mit meinem Fahrrad die Kantstraße entlangfuhr, war ich damit beschäftigt, sein Verhalten in neuem Licht zu deuten. Seine bedrückte Erscheinung, seine Freundlichkeit, mit der er mich immer »mein Junge« genannt hatte, waren das alles Zeichen eines schlechten Gewissens gewesen? Was für ein schlechtes Gewissen? Weshalb? Ich musste noch einmal hin, um die Wahrheit über den vermeintlichen Unfall und die Nazis zu erfahren. Ich fühlte, wie die Trauer sich tief, ganz tief in mir in einen gewaltigen Ärger umzuwandeln begann.

Mein Gymnasium war in einen ganzen Komplex eingebettet, in dem die einzelnen Gebäude in hierarchischer Reihenfolge aufgestellt waren. Das Areal war auf zwei Seiten von je einer Straße abgegrenzt und befand sich gleich gegenüber dem Lietzenburger See, wo es an jedem Wochentag und zu jeder Tageszeit vor Hunden nur so wimmelte. Wenn ich den Weg durch den Park nahm, musste ich meine Reifen abends gründlich säubern, um den Kotgestank herauszubekommen. Deshalb fuhr ich lieber über die breite Kantstraße, außerdem deprimierte mich der Anblick der alten Frauen, die selbst bei Regen und

Schnee in aller Frühe aus dem nahe gelegenen privaten Altersheim herauskamen, um die Enten und Schwäne mit kleinen Bissen heranzulocken und ihnen verzweifelt ihre Lebensgeschichte zu erzählen. Ganz hinten, oder wenn man den Gebäudekomplex von der anderen Seite her betrat, vorne neben der gläsernen Turnhalle, befand sich die Hauptschule oder die »Anstalt«, wie wir Gymnasiasten sie nannten, eine Abkürzung für »Anstalt für zurückgebliebene Geister«. Es war ein hässliches, rußgeschwärztes Gebäude, seit Jahrzehnten nicht renoviert, so stand es da wie eine alternde Nonne, deren dunkle Rockzipfel mit Graffiti verschiedenster Art geschmückt waren, Ausdruck der künstlerischen Begabung der Insassen oder ein Grund zum Ärgernis für die Schulleitung, je nachdem, von welcher Seite aus man die Angelegenheit betrachtete. Wenn man den Zeitungen glauben wollte, zerbrach sich das ganze Land über diese vermeintlich so anarchischen Wandbemalungen den Kopf. Dabei hatten Graffiti jahrelang die Mauer geschmückt und nun füllten sie die Seiten der meistverkauften Berlin-Guides. Aber eine Mauer war eben nicht eine Mauer.

Rechts neben der Turnhalle stieg man die Leiter eine Stufe höher, hier stand das vor zwei Jahren mausgrau gestrichene Gebäude der Realschule. Sie war kleiner, aber in keiner Weise attraktiver. Auch zu den Realschülern hatten wir kaum Kontakt, denn so etwas wie eine kleine Grünanlage mit einer künstlichen Felsgruppierung trennte uns von ihnen. Das Gymnasium schließlich thronte gleich an der Hauptstraße, ein dunkelrotes Gebäude, das erst in den letzten Sommerferien von Grund auf renoviert worden war, und das von der Straße aus einen eigenen Zugang besaß. Hier gab es keine Graffiti, keine hässlichen Löcher im Putz, keine eingeschlagenen und nicht ersetzten Fensterscheiben. Die Fahrräder, darunter viele teure Mountainbikes, von denen ich nur träumen konnte, standen wie Soldaten der königlichen Garde beim Staatsempfang gegenüber dem großen, majestätischen Eingangstor unseres Schillergymnasiums, auf dem in geschwungenen Lettern »Cogito ergo sum« zu lesen war.

Das Schillergymnasium war ein humanistisches Gymnasium, das in ganz Berlin, zumindest im westlichen, uns bekannteren Teil der Stadt, einen ziemlich guten Ruf genoss. Vielleicht war dies wirklich nur Konrad Anstock zu verdanken, wie einige behaupteten, denn der Direktor leitete die Schule seit über zehn Jahren, er war eine stadtbekannte Figur, dem gute Beziehungen zum derzeitigen Regierenden nachgesagt wurden und ohne dessen Erlaubnis nicht einmal eine Fliege den Zugang zu den inneren Sphären des Heiligtums fand.

Anstock, der im liberalen *Tageblatt* gelegentlich Gastkommentare über den vermeidbaren Niedergang des deutschen Bildungswesens veröffentlichte, worin er den antiautoritären Erziehungsstil und die Massenmedien für die Übel unserer Zeit verantwortlich machte, erteilte uns in der Kollegstufe selbst den Deutschunterricht. Die erste Stunde meines ersten Schultages nach dem sonderbaren Unfall meines Vaters, der in meinem Leben den Anfang einer neuen Zeitrechnung auszumachen begann, gehörte ihm.

Als ich die Tür zum Klassenzimmer öffnete, war er schon dabei, den Inhalt seiner schweinsledernen Aktentasche auf das Pult zu leeren. Er hob kurz den Kopf, um mich über seine halben Brillengläser zu mustern, sagte jedoch nichts. Seine Erscheinung, oder natürliche Autorität, wie Kenan es auf seine feinere Art ausdrückte, ließ alle still sitzen und abwarten. Ich setzte mich an meinen Platz neben dem letzten Fenster. Wir waren nur zwei Türken in der Kollegstufe, wenn man Kenan überhaupt als Türken bezeichnen wollte. Seine Mutter war Deutsche und sein Vater hatte mit den Türken, die ich kannte, nicht viel gemeinsam, denn er war Arzt. Wenn es stimmte, was die Leute behaupteten, waren Türken in seiner Praxis als Patienten nicht gern gesehen, er unterhielt sich mit ihnen ausschließlich auf Deutsch, und ich war selbst Zeuge davon geworden, dass er nicht einmal zu Hause Türkisch sprach. Doch war ich sehr froh, mit Kenan einen Tisch zu teilen. Er war wie mein seitenverkehrtes Spiegelbild, ich meine, er schien alle Eigenschaften zu besitzen, die mir abgingen: Er kam niemals zu spät und blieb nie länger auf dem Schulhof stehen, als es nötig war. Er saß nie lange an Hausaufgaben und bekam doch die besten Noten. Er sah nicht blendend aus und doch flogen die Mädchen auf ihn. Wenn ich ihn mit einem Wort beschreiben müsste, hätte ich gesagt: sparsam. Kenan sparte mit Worten, er sparte mit Gestik, mit Geld, er sparte sogar mit Emotionen. Doch die Ernte fiel immer großzügig aus.

Bevor Anstock seine Ausführungen über Heine begann, erzählte ich Kenan kurz die Geschichte. Er hörte mir wortlos zu. Zum ersten Mal in unserer Freundschaft, die erst in diesem Jahr begonnen hatte, nachdem er auf unser Gymnasium gewechselt hatte, las ich so etwas wie Neugierde und echte Teilnahme in seinem Gesicht. Er beugte sich zu mir herüber und fragte: »Und was sollen wir jetzt tun? Die Skins suchen?«

»Na klar«, sagte ich, ohne zu zögern, und wusste nicht, ob ich mich nun über seine Frage oder diese spontane Antwort von mir wundern sollte. »Wir können doch nicht untätig rumsitzen und darauf warten, dass man sie vielleicht eines Tages findet! Dieser Kommissar hat mir gestern nicht einmal von ihnen erzählt. Ich, der Sohn des Opfers, erfahre davon erst durch die Zeitung, was sagt man dazu?«

Er wollte mir gerade antworten, als die Stimme Anstocks direkt neben uns in voller Lautstärke in den Raum schallte und uns beide fürchterlich zusammenfahren ließ: »Gülen, worum geht es denn so aufgeregt?«

»Nichts«, sagte ich hastig.

»Das scheint aber ein interessantes Nichts zu sein, wenn man bedenkt, wie erhitzt Sie beide darüber sinnieren.«

Er genoss es sichtlich. Ich spürte, wie das Blut in mein Gehirn schoss.

»Vielleicht geht es um das Nichts, das unserer Existenz zu Grunde liegt?« Er hob den Kopf und fixierte lächelnd die Klasse, die die Szene verlegen beobachtete. »Oder sollten wir besser sagen, das Nichts, das Ihrer Existenz zu Grunde liegt, Gülen, was meinen Sie?«

»Nein«, sagte ich mit gespielter Gelassenheit, »wir sprachen über meinen Vater. Was ihm passiert ist.«

»Was ist Ihrem Vater denn so Wichtiges passiert, dass Sie die letzten Stunden vor dem Mündlichen damit verbringen, es mit Ihrem Kameraden zu diskutieren?«, fragte er mit seiner öligen Stimme. Seine Mundwinkel zuckten, als ob er sich kaum ein Lachen verkneifen konnte, oder nur aus Ärger. Ich stutzte einen Moment, als ich das sah.

»Er ist fast umgebracht worden«, sagte ich. Die weiteren Worte kamen wie von selbst aus meinem Mund geschossen: »Von den Nazis!«

Es herrschte nun betretenes Schweigen im Klassenzimmer. Ich hob den Kopf und sah mit einem seltsamen Gefühl des Triumphes in Anstocks braune Fuchsaugen.

»Das tut mir Leid«, murmelte er, aber er wollte sich nicht so schnell geschlagen geben. »War das Ihr Vater, ich meine, dieser Unfall an der Oberbaumbrücke? Aber woher wissen Sie, dass er von ...«, er suchte ein anderes Wort und fand es nicht, also sprach er es mir einfach nach: »... von den Nazis angegriffen worden ist?«

»Die Zeitungen sind voll davon!«, sagte ich lauter als beabsichtigt.

»Ich weiß ja nicht, welche Zeitungen Sie lesen«, meinte er nach einer kurzen Pause des Nachdenkens, »aber ich habe alle Zeitungen, natürlich die seriösen, heute Morgen durchgeblättert, da war nicht von einem ausländerfeindlichen Überfall die Rede, sondern von einem Unfall.« Als ich schwieg, fuhr er fort: »Wenn dies wirklich ein Werk der Rechtsradikalen wäre, hätten sie darüber berichtet. Es sei denn, Sie sehen überall den Geist Hitlers umherstreifen.«

»Mann«, schrie ich ihn an, »ich hab meinen Vater doch selbst gesehen, auf der Intensivstation im Krankenhaus, ich war bei der Polizei, ich war da, ich weiß, wovon ich rede!«

Dass ich laut wurde, machte ihn böse. »Wer sollen diese Nazis denn gewesen sein?«, fragte er plötzlich wie erheitert. »Wann hatten wir überhaupt Nazis in diesem Land? Na, sagen Sie doch schon! Schließlich leben Sie hier. Sie müssen sich offenbar erst einmal über die deutsche Geschichte informieren, bevor Sie bei uns das Abitur anstreben.« Er sprach ganz ruhig, eine gemeine Ruhe, eine Ruhe, die mich vor Zorn und Hilflosigkeit rasend machte. Ich baute mich vor ihm auf und blickte ihm in die Augen, ohne auf seine Fragen zu antworten.

»Was sagt überhaupt die Polizei?«, fragte er weiter. »Spricht sie auch von Nazis oder war es wirklich nur ein Unfall?« Nun wandte er sich der Klasse zu. »Kann er gar selbst verschuldet gewesen sein? Schließlich war auch nicht jeder Brand das Werk von Deutschen, oder? Ich verstehe nicht, warum wir uns immer gleich selbst bezichtigen müssen. Das scheint eine Volkskrankheit geworden zu sein.«

Ich bückte mich zu meiner Tasche herunter, riss meine Lederjacke von der Stuhllehne und machte zwei Schritte in Richtung Tür. Er packte mich am Ärmel.

»Sie bleiben gefälligst hier!«, schrie er mich an. Bis dahin hatte ihn niemand schreien hören. Seine sonst so gesenkte, kultivierte Stimme verwandelte sich in ein hysterisches Kreischen, die ganze Szene schien so unwirklich, dass ich nicht mehr hörte, was er noch von sich gab, ich sah nur noch seine kleinen, listigen Augen, sein bartloses, scharlachrotes Gesicht, seine Glatze und seinen dunkelgrauen Anzug.

Und im nächsten Augenblick sah ich den Anzug auf dem Boden liegen. Anstocks Nase blutete. Er hielt ein weißes Taschentuch darunter und suchte seine Brille. Während ich durch die Tür des Klassenzimmers rannte, spürte ich, wie er sich wortlos aufzurichten versuchte, und auch wenn ich nicht zurückschaute, wusste ich, dass ihm niemand dabei helfen würde.

Als ich an jenem Morgen ziellos durch die Straßen lief, fühlte ich eine seltsame Leere im Kopf. Als ob irgendetwas in mir langsam, Stück für Stück kaputtging. Was in der Schule passiert war, belastete mich nicht im Geringsten, nein, im Gegenteil, ich fühlte mich befreit, denn Anstock war mir schon immer auf die Nerven gegangen. Sein vornehmes Getue, seine bemüht feine Aussprache, die grauen Anzüge, die er wie eine zweite Haut auf dem fetten Körper trug. Irgendetwas war falsch an ihm, das hatte ich vom ersten Moment an gespürt. Es war dasselbe Gefühl, das mich überkam, wenn ich nach der Schule durch die Fußgängerzone ging, vorbei an den Menschenmassen, die von einem Geschäft zum anderen eilten. Was kauften sie unentwegt? Konnte ein Mensch jeden Tag so viele Bedürfnisse haben? Und die sorgfältig angelegten Blumenbeete, auf deren Rändern Penner saßen, mit weinroten Nasen und immer einem derben Spruch auf den Lippen. Niemand beachtete sie. Das war doch nicht normal, ihre Stimmen, ihr dreckiges Lachen waren nicht zu überhören. Die notorische Höflichkeit der Nachbarn im Treppenhaus ging mir genauso auf die Nerven, Guten Tag hier, Guten Morgen dort. Die Leute sagten ihre Sprüche auf, sie spielten ihre Rollen, Tag für Tag, perfekt, sie zogen sich ihre grauen und blauen Anzüge an, setzten sich lächerlich bunte Brillen auf die gepuderten Nasen, sie gingen joggen und beim Griechen oder Chinesen essen, sie konnten sich nicht entscheiden, welches Rasierwasser sie benutzen sollten, und an Weihnachten wussten sie ganz und gar nicht, was sie sich wünschten, weil sie schon alles hatten. Auf Feten quatschten sie mit Biergläsern in der Hand über das neue Auto, das sie sich gekauft hatten, über ihren letzten Urlaub, die Rechtsschutzversicherung, die Steuerreform, das Rentengesetz, die Wahlen und was weiß ich noch alles. Sie redeten und redeten. Und es funktionierte. Man hatte alles, man wusste alles, man lebte. Sauber, ordentlich, gepflegt. Aber irgendetwas war falsch daran. Hinter den blank geputzten Fassaden, unter den perfekt sitzenden Masken verbarg sich etwas Unechtes, Ungreifbares. War es eine Lüge, über die jeder Bescheid wusste, aber die man nicht aussprach, ein Geheimnis, das sogar die Kleinsten kannten und verschwiegen? Oder ging es um ein allgemeines Unbehagen? Wie konnte man alles haben und doch so unglücklich ausschauen? Worüber waren sie eigentlich so unglücklich? Über diese Ordnung, die sie wie ein Kleid von der Stange übergezogen hatten, und von dem sie irgendwie ahnten, dass es nicht passte? Was war falsch an diesem Treiben? Und was hatten diese seltsamen Gedanken mit dem Unfall meines Vaters zu tun?

Ich setzte mich mit einem Döner auf die Steintreppe in der Wilmersdorfer Straße. Die Fußgängerzone war der ideale Platz, um nachzudenken. Diese Straßen sahen überall gleich aus, man konnte in Frankfurt oder Köln sein, in Hamburg oder München, man hatte immer dasselbe Bild vor sich. Die Geschäfte und Kaufhäuser waren dieselben, die gleichen Schaufenster, dieselben Schriftzüge. Männer in weißen Kitteln demonstrierten in jeder Fußgängerzone im gleichen Kaufhauseingang die wundersame Wirkung desselben Teppichreinigungsmittels, die kleine Menschentraube davor bestand überall aus denselben alten Frauen mit den hässlichen Luftpolsterschuhen und den gleich ausschauenden alten Männern in braunen Sandalen, überall liefen dieselben Mädchen mit den blondierten Haarsträhnen und den nichts sagenden Augen gleichgültig daran vorbei, ob in Kassel oder Bremen, überall wurden dieselben überernährten Kinder in geblümten Wagen vorbeigeschoben oder saßen in den Spielzeugautos vorm Kaufhaus und ließen sich für eine Mark herumschaukeln. Und sie schienen alle dieses Geheimnis miteinander zu teilen. Was dachten diese Leute in den Momenten, wenn sie mit sich allein waren? Wenn sie abends ihr schlecht sitzendes Kleid ablegten, in den

Spiegel sahen, was sagte ihnen ihr Gesicht am Morgen, bevor sie die Zahnseide in den Mund steckten oder den Lippenstift auftrugen? Waren sie deshalb so beschäftigt, damit sie keine Zeit zum Nachdenken hatten? Was war das für ein Spiel? Und weshalb fühlte ich mich auf einmal von diesem Spiel ausgeschlossen?

»Nimmst du Zucker?« Kommissar Löbel reichte mir die Zuckerdose, ich schüttelte wortlos den Kopf. Nachdem ich stundenlang ziellos durch die Stadt gelaufen war, hatte ich ihn angerufen. Wir hatten beschlossen, uns im Café gegenüber dem Charlottenburger Schloss zu treffen. Ich musste es loswerden, also erzählte ich ihm alles. Was in der Zeitung gestanden hatte, die Geschichte über die Skinheads, was dann in der Schule passiert war, wie ich dem ehrenwerten Direktor des Schillergymnasiums einen ungewollten Seitenhieb verpasst hatte, und wie er unglücklich fiel und dabei seine Nase am Stuhlbein verletzte. Natürlich hatte er mich gereizt, wie er mich eigentlich schon von Anfang an bei jeder Gelegenheit gepiesackt oder einfach übersehen hatte, und eigentlich tat mir alles schon Leid, aber das behielt ich doch lieber für mich.

Kommissar Löbel hörte mir schweigend zu, dann breitete sich langsam ein Grinsen über sein ganzes Gesicht aus. »Du hast also den berühmt-berüchtigten Anstock umgehauen?«, fragte er lachend. Ich lächelte mit, eher aus einem Gemisch von Verlegenheit und Respekt heraus, schließlich war er ein Polizeibeamter und ich hatte nichts getan, worauf ich stolz sein konnte, es war nicht einmal besonders komisch. Löbel war wieder in Zivil erschienen, er trug Jeans und ein weißes, ungebügeltes Hemd. Er bot mir eine Zigarette an, die ich zögernd annahm.

»Man wird mich wohl von der Schule werfen«, sagte ich, um hastig hinzuzufügen: »Das macht mir aber überhaupt nichts aus.«

Er schwieg eine Weile, dann sagte er: »Bist du immer so verzweifelt?«

»Ich bin nicht verzweifelt! Er hat mich gereizt. Bis aufs Blut! Das hat er absichtlich getan.«

Löbel hörte nur zu, ohne etwas zu sagen. Er konzentrierte sich auf mein Gesicht, ließ seinen Blick nicht wie die meisten Menschen durch den Raum gleiten, schaute nicht aus dem Fenster, sogar die langen Beine der Kellnerin oder der Anblick der vorbeischlendernden Frauen ließen ihn kalt.

»Wieso haben Sie mir nicht erzählt, dass mein Vater von Skins angegriffen wurde? Das war doch fast Mord! Ist das für Sie unwichtig?«

»Ich habe dir gestern alles Nötige erzählt«, sagte er bestimmt. »Wir wissen doch gar nicht, ob diese Kerle mit dem Fall etwas zu tun haben.« Er nahm einen Schluck von seinem Kaffee. »Sieh mal, mein Junge«, begann er wieder zu sprechen, »ich hab dir doch von diesem Wirt erzählt, oder? Du hast ihn gestern auf der Wache gesehen. Kurz bevor dein Vater aus dem Wasser gerettet wurde, sind einige Glatzen im Lokal eingekehrt. Vier an der Zahl. Sie haben nichts getrunken, sondern nur ein paar Flaschen

Bier gekauft, dann sind sie wieder abgehauen, das ist alles.«

»Wie, das ist alles!«, sagte ich aufgeregt. »Was soll denn noch sein?«

»Aha!«, schnitt er mir das Wort ab. »Simple Gleichung, was? Skins plus Türke gleich Totschlag. Da können wir unseren Job gleich an den Nagel hängen!«

Ich wollte aufstehen und nichts wie weg, aber er hielt mich fest. Sein Griff war viel fester als der von Anstock.

»Jetzt setzt du dich gefälligst hin und hörst mir mal zu«, sagte er leise. »Was glaubst du denn eigentlich, was wir machen? Den ganzen Tag rumsitzen und Däumchen drehen? Ich weiß genauso gut wie du, was hier los ist. Jeder, der auch nur einen Tag durch Kreuzberg läuft, weiß, was in dieser Stadt los ist. Du bist nicht einer von denen, was willst du, dein Leben vermasseln? Findest du das romantisch?«

»Ich bin einer von ihnen.«

»Na prima! Ab jetzt heißen wir alle Seyfullah, was?«

»Woher wissen Sie das? Haben Sie auch die *Yeni Vatan* gelesen?«, fragte ich ihn verwundert, denn diese Details hatte ich ihm gegenüber nicht erwähnt. »Ich wusste nicht, dass Sie Türkisch können.«

»Weißt du, wie viele Türken in dieser Stadt leben?«, fragte er zurück. Ich zuckte mit den Achseln.

»Hundertsiebzig-, hundertachtzigtausend, wenn man die Illegalen nicht mitzählt. Wenn wir nicht verfolgen, was bei euch los ist, könnten wir tatsächlich einpacken.«

»Anstatt die Türken zu bespitzeln, sollten Sie sich lieber hinter die Nazis klemmen. Die machen doch den Ärger und nicht wir.«

»Oh doch, ihr macht auch genug Ärger«, sagte er. Aber er schien auf einmal zu müde, um weiterzusprechen. Er steckte sich noch eine Zigarette an und schaute gelangweilt auf das Schloss, vor dem eine Schar japanischer Touristen auf ihren Bus wartete.

»Ich kenne deinen Vater nicht«, sagte er schließlich, »aber wie ich das sehe, hat er nicht gewollt, dass du in der Gosse landest, warum hätte er sonst die teure Wohnung in Charlottenburg gemietet und dich aufs Gymnasium geschickt? Er hätte ja gleich in Kreuzberg bleiben können. Nein. Du gehst morgen zur Schule, setzt dich brav an deinen Platz und machst dein verdammtes Abi, klar? Das bist du deinem Alten wohl schuldig.«

»Reden Sie nicht so über meinen Vater!«

»Was meinst du denn, wie wir über ihn reden sollten? Erzähl mal«, sagte er. »Ich höre dir zu.« Er lächelte. Es war ein seltsames, bitteres Lächeln. Plötzlich kam er mir vor wie ein einsamer, sehr einsamer Mann. Er mochte vierzig Jahre älter sein als ich, er war kein Türke, er war Polizeikommissar, er war mittendrin im Treiben, und wenn es tatsächlich ein Geheimnis gab, dann war er einer derjenigen, die es nicht nur kannten, sondern auch geschaffen hatten. Doch fühlte ich mich ihm plötzlich sehr nahe. Einen Moment lang überlegte ich sogar, ob ich ihm nicht von den nächtlichen Ausflügen meines Vaters erzählen sollte. Von meinen Zweifeln, davon, dass ich eigentlich nichts über ihn wusste, dass ich mir bis jetzt keine Gedanken über ihn gemacht hatte, vielleicht sogar von dem Kloß, der wieder an seinen alten Platz zurückgekehrt war, und von meinem Geist, den ich nicht einzufangen vermochte. Aber etwas in mir riet mir zu schweigen, es musste die Stimme meiner Mutter sein, die in den unmöglichsten Momenten in meinem Kopf erschallt, und die ich nicht so schnell wieder zum Verstummen bringen kann.

»Es gibt kein Geheimnis um meinen Vater«, sagte ich. »Er ist ein einfacher Mann. Arbeit, Familie, Urlaub, das ist alles.«

»Der Schein und das Sein«, sagte er bedächtig. »Wenn ich etwas in meinem Leben gelernt habe, dann ist es, dass nichts so ist, wie es ausschaut, mein Junge. Wir haben alle unsere kleinen und großen Geheimnisse. Niemand ist so einfach gestrickt, wie du dir das vorstellst. Und am wenigsten wissen die Söhne die ganze Wahrheit über ihre Väter.«

Turgenjew! Plötzlich fiel mir der Name des Schriftstellers wieder ein. Aber was sollte dieses ewige Gerede über Väter und Söhne? Ich schnitt ihm ungeduldig das Wort ab.

»Ja, gut«, sagte ich, »und was passiert jetzt? Ich meine, mit Anstock.«

»Ich werde mit ihm reden. Du gehst morgen etwas früher zur Schule und entschuldigst dich bei ihm. Und das nächste Mal hältst du dich etwas mehr zurück, okay?«

Er bezahlte und gab mir die Hand, bevor er in sein Auto stieg, das er vor dem Ägyptischen Museum geparkt hatte. Ich stand am Wagenfenster und zögerte einen Augenblick, bevor ich ihn ein letztes Mal nach den Skins fragte.

Er sagte, dass sie in alle Richtungen recherchierten. Diese Floskel hatte ich tausendmal in den Nachrichten gehört. Nach jedem Brand hieß es, die Polizei ermittele in alle Richtungen. Irgendwas störte mich daran. Freilich stellte sich gelegentlich auch heraus, dass der Brand zufällig entstanden war. In einigen Fällen hatten sogar die Leute selbst ihren Laden angesteckt, um im allgemeinen Chaos Versicherungsgelder zu kassieren. Trotzdem störte mich etwas an dem Satz; ihn aus Löbels Mund zu hören, war enttäuschend.

»Es muss doch möglich sein, diese Skins ausfindig zu machen!«, sagte ich gereizt. »Sogar wir könnten das!«

Er hob die Augenbrauen und zog eine Grimasse, als ob er nun endgültig seine Geduld verloren hätte. »Das überlässt du besser uns«, sagte er, »verstanden? Ein nächstes Mal helfe ich dir nicht aus der Patsche.«

Ich antwortete ihm nicht. Er gab Gas und verschwand in der Schlossstraße, wo alte Männer unter den Platanen Boule spielten. Ein Kind kam angelaufen, schaute mich mit großen, staunenden Augen an, bevor seine Mutter es an der Hand nahm und sie beide am Ende der Straße verschwanden. Andere junge Frauen gingen vorbei, schon in leichten Sommerkleidern, sie lachten und scherzten miteinander, manche trugen Einkaufskörbe, die sie auf dem Markt an der Kirche mit frischem Gemüse gefüllt hatten, Karotten streckten ihre Köpfe neugierig heraus und spähten auf den Asphalt hinunter. Die Japaner warteten immer noch auf ihren Bus. Warum sahen alle plötzlich so fröhlich aus? Die Sonne schien. Niemand war allein, jeder hatte Gesellschaft, alle hatten etwas zu tun, eine Arbeit, die ihnen Spaß machte, eine Frau, die zu Hause auf sie wartete, Kinder, deren kleine Hände sie hielten und die sie vor den Gefahren dieser Stadt beschützten, eine Freundin, mit der sie sich am Abend treffen würden, ein Mädchen, das sich für sie schick machte, sie würden sich umarmen und küssen, er würde ihr von seinen Träumen erzählen, sie würde ihm verständnisvoll zuhören, ihn streicheln, ihm seine Sorgen abnehmen, sie würden sich lieben und ihre Masken abnehmen und sei es auch nur für eine Nacht.

III

Drei Papiere brauchst du in diesem Land, hatten die anderen gleich am Anfang gesagt, die Arbeitserlaubnis, den Führerschein und ein Diplom der Tanzschule. Die Arme öffnen wie ein Adler auf Höhenflug und mit den Beinen stampfen, das zählt hier nicht als Tanz, Seyfullah. Wenn du dich unbedingt zum Gespött der deutschen Frauen machen willst, dann bitte schön. – Die deutschen Frauen. Groß, schlank, blond. Eine Haut wie Sahne, weiß und süß. Sie tragen schöne Kleider, enge Kleider, ihre Füße stecken in hochhackigen Schuhen und die hohen Hacken bleiben oft im Pflasterstein stecken, wenn Seyfullah ihnen von seinem sicheren Versteck am Hauptbahnhof aus verstohlene Blicke zuwirft. Eine sieht ihn und nimmt lächelnd ihren großen Hut ab, worauf die langen Strähnen im Wind sausen wie goldenes Stroh in der Erntezeit. Ein Mal streicheln, ein Mal anfassen, ein Mal küssen.

Die Frauen in den Hafenbordellen sind auch blond. Einige haben sich die Haare pechschwarz gefärbt, das mag Seyfullah nicht, es macht ihm ein schlechtes Gewissen, so eine zu nehmen, die ihn an die Frauen im Dorf erinnert. Er kann nicht. Hinausgeworfenes Geld. Und die Schande obendrein.

Aber Margret lacht nicht, als sie sich zum ersten Mal lieben. Sie schaut ihn mit großen Kinderaugen an, direkt und offen. Sie ist die erste anständige Frau, die Seyfullah hat. Eine kluge Frau. Sie hat Schulen besucht, kann lesen und schreiben. Seyfullah führt sie aus, sie gehen tanzen, er fasst sie an, streichelt sie, küsst sie. Sie lässt nicht nur alles mit sich machen, sie zeigt ihm sogar, wie man es besser macht. »Seyfi«, sagt sie dabei mit einem wunderschönen Lächeln um die Mundwinkel herum, »Seyfi, du bist wunderbar!«

Er schaut sich im Spiegel an und sieht ein neues Gesicht. Den Bart hat er ihr zuliebe abgeschnitten, sich neue Anzüge gekauft, in denen er sich vorkommt wie ein Fremder, aber er fühlt sich so großartig wie nie zuvor und er liebt sie über alles, weil sie ihn so fühlen lässt.

Mehmet, einer von der Papierspießgarde, erzählt eines Tages von Berlin.

»Ach, Seyfi, da ist 'ne Mauer drum herum, um die ganze Stadt, und die Russen warten gleich vor der Tür!«, sagt Margret verärgert, als Seyfullah ihr von seinem Plan berichtet, eine gut bezahlte Arbeit in den Westberliner Siemenswerken anzunehmen. »Ich krieg da Platzangst«, sagt sie, »was willst du in Berlin?« – »Fernseher machen«, sagt er aufgeregt, »richtige Fernseher! Und viel mehr Geld, Margret!« Er verschweigt den Missmut über die Arbeit, die er seit vier Jahren auf den Landungsbrücken verrichtet. Er verschweigt, wie er sich fühlt, wenn die großen, blonden, schicken Frauen und Männer an ihm vorbeigehen, ohne ihn zu beachten. Er ist unsichtbar, aber seine Unsichtbarkeit ist zu offensichtlich. In Berlin sind mehr Türken, man ist wenigstens unter sich. Er hat sogar schon

einige Adressen in der Tasche. »Vergiss die Russen!«, sagt er ein letztes Mal, als sie ihre Koffer packt. Sie hat sich eine neue Stelle in Berlin gesucht, geht mit ihm, denn auch sie will unsichtbar sein, sie hatte noch nie jemanden, der sie wirklich sehen wollte.

Seyfullah steht von nun an am Fließband. Seine Augen, die an die endlose Weite der Hochebene gewöhnt waren, fixieren erneut kleine, diesmal sehr kleine Punkte. Schraubenbolzen, Schraubenköpfe, Schraubenlöcher.

Eines Nachts hat er einen seltsamen Traum: Er ist wieder der kleine Junge in den kurzen Hosen, die sein Vater einmal aus Kayseri mitgebracht hatte, als er mit einer der Frauen aus der Theaterkompanie durchgebrannt war, die im Sommer kurz im Dorf gastiert hatte, um nach Wochen voller Reue wieder zu seiner Frau ins Dorf zurückzukehren. »Seyfullah! Mach schnell, er fliegt dir gleich davon! Halt die Hände kräftig zusammen, nicht schließen, nein, nicht jetzt! Siehst du, weg ist er!« Noch unter dem Einfluss des Traumes schaut er am Morgen, bevor das Fließband zu rollen beginnt, auf seine groben Hände. Er sieht den schwarzen Raben gleich über seinem Kopf vorbeifliegen, er greift danach. Mit bloßen Händen habe ich damals die Vögel gefangen, warum nur? Hätte ich sie doch fliegen lassen, fliegen, einfach nur fortfliegen.

Der Kreis schließt sich für ihn, als er nach sechs Monaten mit einem nagelneuen Fernseher nach Hause kommt, er glaubt ihn selbst zusammengeschraubt zu haben, vielleicht sogar an dem Morgen, als er an seinen Traum vom schwarzen Raben dachte. Denn als Seyfullah den Fernseher einschaltet, sieht er als Erstes eine Schar von Vögeln über einen einsamen Baum fliegen und erkennt die anatolische Hochebene wieder. An diesem Abend betet er zum ersten Mal in seinem Leben zu Gott und fühlt sich glücklich.

»Verzeihung, Herr Direktor, es wird nicht wieder vorkommen.« Nein. Das klang nach Meier aus der Verkaufsabteilung. »Herr Direktor, bitte entschuldigen Sie meine etwas heftige Reaktion von gestern ...« – »Reaktion? Sie schlagen grundlos zu und nennen das auch noch eine Reaktion? Was für eine Unverschämtheit, Sie ...« Genau so und nicht anders würde Anstock antworten. Also noch mal. »Ich bitte Sie um Entschuldigung.« Ja. Das war schlicht und würdevoll. Im gleichen Augenblick schallte eine zynische Rede in meinem Ohr: »Ach, Gülen! Treten Sie doch näher! Warum, bitte schön, soll ich Sie entschuldigen? Etwa weil Sie mir gestern das Nasenbein gebrochen haben? Ich bitte Sie, wegen so einer Kleinigkeit ...«

Es hatte keinen Zweck. Und, warum sollte ich mich eigentlich bei dem alten Nazi entschuldigen? Jawohl, das war er, ein eingefleischter Nazi. Ich sah doch keine Gespenster, oder?

Wurde nicht jeden Tag von einem neuen Fall berichtet, dessen Ursprünge fünfzig Jahre zurücklagen? Seit der Maueröffnung bestand die Welt aus Nazis, Stasi und Verrätern, Männer hatten ihre Frauen bespitzelt, Schriftsteller ihre Freunde, die Sekretärin ihren Chef, der Chef seine Belegschaft.

Dem Wiesenthal müsste man Anstocks Namen zuspielen, dachte ich, während ich ganz ohne Eile zur Schule radelte. Man müsste mal seine Vergangenheit unter die Lupe nehmen. Ich stellte mir die Schlagzeile vor: »Schuldirektor entpuppt sich als SS-Mann – Konrad Anstock war an Erschießung an der Ostfront beteiligt!« Oder so: »Junger Türke deckt Kriegsverbrecher auf«. Grinsend passierte ich das Schultor. Mensch, dachte ich, wenn das nicht Integration ist, die Türken tragen auch schon zur Vergangenheitsbewältigung bei.

Spontan beschloss ich, alle Entschuldigungsfloskeln zu vergessen und zum Hintereingang zu gehen, um wie üblich mit Kenan meine erste Morgenzigarette zu rauchen. Er wartete schon ungeduldig auf mich.

»Hi«, sagte ich, »das wird wohl unser letztes Treffen hier.« Meine Stimme klang plötzlich traurig, was mich ärgerte.

»Das glaube ich nicht«, antwortete Kenan.

»O doch. Ich werde mich nämlich nicht bei Anstock entschuldigen. Das kannst du vergessen.«

»Du brauchst dich auch nicht zu entschuldigen. Anstock ist weg, du bist dabei und Deutsch haben wir ab heute bei der Muthesius.«

»Wie, der Anstock ist weg?«

»Er hat sich für den Rest des Schuljahres krankschreiben lassen.« Kenan nahm einen tiefen Zug aus seiner Zigarette und blies den Rauch hastig in die Luft. »Wenn du mich fragst, ist es nicht nur die kaputte Nase, außerdem kannst du nichts dafür, dass er so unglücklich gefallen ist. Ich glaube, er ist verbittert über unser Verhalten.«

»Wieso? Was habt ihr denn getan?«

»Nix haben wir getan. Einfach gar nichts. Das ist es ja.«

Kenan erzählte mir, dass Anstock nach meinem grandiosen Abgang, wie er nicht ohne einen ironischen Unterton formulierte, auf dem Boden liegen geblieben war. Er hatte ein großes, weißes Taschentuch herausgeholt, und alle hatten mit Entsetzen zugesehen, wie sich das Blut darauf ausbreitete, Kenan verglich es mit einem Tintenfleck auf Löschpapier. Dann hatte er endlos seine Brille gesucht, die unter meinen leeren Stuhl gefallen war, hatte sie natürlich nicht gefunden, was ihn erst recht hilflos gemacht hatte, oder sollte man besser sagen, hilfsbedürftig, eine schlimme Lage, vor allem dann, wenn niemand bereit ist, einem zu helfen.

»Spätestens dann muss er es gemerkt haben«, sagte Kenan und nahm einen letzten Zug aus seiner Camel.

»Was gemerkt?«

»Die Stille.«

Ich wartete, bis er die Kippe auf den Boden warf, mit dem Absatz löschte, aufhob und in der leeren Streichholzschachtel verstaute, die er aus der Tasche seines Jacketts herausgeholt hatte.

»Alle saßen einfach so da. Null Reaktion, verstehst du? Niemand hilft, keiner sagt etwas. Also macht er die Tür auf, dreht sich ein letztes Mal zu uns um, mit blutbeschmiertem Gesicht, und weg ist er.«

Später sollte ich erfahren, dass danach ein ungeheurer Tumult in der Klasse ausgebrochen war und dass einige, ich weiß schon wer, mich beschuldigten und drohten zur Schulleitung zu gehen, worauf Kenan auf das Pult stieg, alle zum Stillsein brachte und laut schrie: »Wer gegen Ömer aussagt, ist ein Verräter!« Ich weiß nicht, wie er auf dieses Wort kam, und noch rätselhafter schien mir damals, wie er es fertig gebracht hatte, auf dieses verdammte Pult zu steigen und die gesamte Mannschaft anzubrüllen, denn ich kannte ihn bis zu dem Tag als einen ausgesprochen zurückhaltenden Menschen. Aber heute, nach allem, was wir zusammen erlebt haben, wundert mich das nicht mehr. Vielleicht war er mit mir einer der Ersten, den die Ereignisse jenes Frühsommers aus der Bahn warfen.

»Und wieso ist Anstock jetzt weg?«, fragte ich ihn wie in Trance.

»Weil er's selbst gesagt hat. Im Lehrerzimmer. Hat getobt wie ein Irrer. Drohte mit Rücktritt. So was ließe er sich nicht gefallen. Als der Krankenwagen eintraf, sagte er, er würde sich bis zum Ende des Schuljahres krankschreiben lassen, die Lehrer sollten selbst sehen, wie sie mit uns klarkommen.«

Ich konnte es kaum glauben, noch mehr wunderte ich mich darüber, woher Kenan diese Informationen hatte. Elisabeth Muthesius hatte es ihm erzählt. »Die Lissy«, so nannten wir sie liebevoll, »hat mich gestern in ihrem Auto ein Stück mitgenommen.« Sein Blick verlor sich in der Ferne, wo die Kleinen Fußball spielten.

»Und sie hat dir auch gesagt, dass ich bleiben darf?«

»Sie sagte nur, du sollst dich bei deinem Schutzengel in Grün bedanken, was das auch heißen mag.«

»Das heißt, dass Kommissar Löbel sein Wort gehalten

hat. Er sagt, meinem Vater zuliebe soll ich das Abitur schaffen.« Ich bekam einen schrecklichen Hustenanfall. Kenan klopfte mir auf den Rücken.

»Einen Verweis wirst du aber schon kriegen«, sagte er leise, »auch wenn sie dich nicht rausschmeißen.«

Die erste Glocke ertönte. Vom kleinen Hof hinter dem Hauptgebäude schrie jemand: »Tor!« Die jüngeren Schüler eilten schon die Treppen hinauf, während die Mütter einiger Fünftklässer ihnen von den halb geöffneten Fahrertüren ihrer Autos aus zuwinkten. »Du kannst mir ja am Eingang zum Abschied winken«, hatte ich meiner Mutter gesagt, als ich mein achtes Schuljahr begann, »aber bitte küss mich nicht mehr!« Es war mir immer furchtbar peinlich gewesen, wie sie mich in aller Öffentlichkeit auf die Wange küsste, vor dem Schultor, wo sie mich jahrelang morgens in eine ihr völlig fremde Welt entließ, von der sie nicht viel wusste und nur annahm, sie würde zwischen uns eine ständig wachsende Distanz schaffen. Umso stärker wurde ihr Griff, wenn sie mich, statt der Küsse, nun an den Schultern packte, einen Moment fragend ansah, um mir dann lächelnd zuzuwinken, bis ich ihrem Blick endgültig entglitten war. Die Mütter fuhren nun eilig davon, um rechtzeitig bei der Arbeit zu sein. Es waren auch viele Väter am Tor, mit derselben Eile. Warum hatte mich mein Vater eigentlich nie zur Schule gebracht? Morgens war er entweder noch auf der Nachtschicht oder er lag im Bett und schlief. Ich erinnerte mich daran, wie schwer und groß er mir vorgekommen war, wenn ich versuchte ihn zu wecken. War er damals tatsächlich kräftiger gewesen, größer, dicker, oder war das eine der falschen Wahrnehmungen, die man als Kind hat, wenn einem alles so endlos und gewichtig erscheint? Man soll ja nie die Schauplätze seiner Kindheit besuchen, die Enttäuschung ist unerträglich. Aber was tun mit den Menschen, wenn man langsam merkt, dass sie nicht so groß und weise sind, wie sie einem früher erschienen?

»Wie geht es deinem Vater?«, fragte Kenan verlegen.

»Ich gehe ihn nach der Schule besuchen.« Ich machte die Zigarette aus und gab ihr mit der Schuhspitze einen Kick, sodass sie mitten im Gebüsch landete.

»Lässt man dich rein zu ihm?«

»Ja, aber immer nur ganz kurz.«

Wir gingen ins Gebäude und liefen wortlos die Treppe hinauf. In der Tür des Klassenzimmers hielt er mich plötzlich am Arm fest und zog mich wieder hinaus auf den Flur.

»Lass uns uns heute Abend treffen, okay? So um neun herum. Du, ich, Murat und der Hucky. Wir sollten langsam einen Plan machen.«

»Mensch, so kenn ich dich ja gar nicht. Sonst versuchst du immer mich zurückzuhalten, jetzt wirfst du dich nach vorne!«

»Ich werfe mich nicht nach vorne«, sagte er beleidigt, »ich denke nur gerne nach, bevor ich etwas tue.«

»Im Gegensatz zu mir, willst du wohl sagen?«

Er ging nicht darauf ein. »Ich stimme dir nur zu. Wir können nicht untätig rumsitzen. Man braucht kein Hellseher zu sein, um zu wissen, dass die Bullen die Kerle nicht finden.« Er starrte mich verärgert an. »Und selbst wenn sie gefunden werden, lässt man sie wieder laufen, weil man ihnen wieder einmal nichts nachweisen kann. Ich glaube nicht an Schutzengel in Grün. Irgendwie reicht's jetzt wirklich.«

»Dieser Löbel ist eigentlich ganz in Ordnung.«

Er machte eine gleichgültige Handbewegung. »Vergiss es!«, sagte er. Er hielt einen Moment inne und sprach dann leise weiter: »Meine Ahnen gehörten nicht zu den Jagenden, sondern immer zu den Gejagten.«

»Was soll das denn wieder heißen, Mann?«

»Heine.«

Ich war sprachlos.

»Es ist nämlich immer besser, zu den Jagenden zu gehören als zu den Gejagten, *capito?*«, fuhr er fort. »Deshalb werden wir die Sache selbst in die Hand nehmen.«

Diwan ist arabisch und kommt von »sitzen«, schätze ich. Meine Großmutter hat sich immer darauf gelegt, als ich klein war. Er stand auf der riesigen Holzterrasse des Sommerhauses in den Bergen, sozusagen unserer Almhütte, auf den Hügeln im Süden, wohin das ganze Dorf im Sommer zog, weil es unten im Tal vor Hitze nur so glühte. Die Terrasse war im ersten Stock, sie stand auf wackligen Pfeilern und es machte uns einen Heidenspaß, darunter Versteck zu spielen, während meine Großmutter auf dem Diwan lag und so laut schnarchte, dass man sein eigenes Wort nicht verstand. Manchmal fragte ich mich, ob sie eigentlich ein Mann war, denn sie hatte nicht nur sehr dichte, in der Mitte zusammengewachsene Augenbrauen, sondern auch einen Schnurrbart, ich meine, fast einen. Sie erzählte, dass die Pfeiler unter der Terrasse deshalb so wackelten, weil sie mich als Baby immer dort geschaukelt hat, in einem Tuch, das sie dazwischen aufhängte, aber ich glaube, sie wollte mich damit nur aufziehen, denn als Baby sah ich nicht gerade wie Rambo in Windeln aus.

Erst viel später bin ich so hochgeschossen, was ich ganz in Ordnung finde, denn kleine Leute haben's immer schwer im Leben. Und weil sie's schwer haben, muss man sich vor ihnen hüten. Wenn auf einem viel herumgetrampelt wird, wird man zwangsläufig böse.

Unser *Diwan* befand sich in der Nürnberger Straße, die sich erst später in eine türkische Vergnügungsmeile verwandelt hat. Früher gab es hier nur ein einziges Restaurant, dann eröffneten sie alle: *Diwan, Pascha, Mavi, Paparazzi.* Wir trafen uns erst im *Istanbul* in der Kantstraße, um anschließend im *Abraxas* zu landen, wo es den besten Funk und Soul und die schönsten Mädchen Berlins gab, freilich standen sie früher nur auf GIs, weshalb wir es sehr schwer hatten. Ich ging mit verschiedenen Mädchen aus, hatte aber nie eine lang anhaltende Beziehung. Keiner von uns hatte das. Man traf sich in einer Kneipe, versuchte ein paar Worte zu wechseln, gab sich lässig und cool. Je souveräner und unbeteiligter man erschien, desto größer war der Erfolg. Nur nicht bei den türkischen Mädchen. Sie schienen mehr zu erwarten, aber was dieses Mehr ausmachte, war mir ein großes Rätsel. Ich versuchte einige Male, mit ihnen ins Gespräch zu kommen, aber ich sagte anscheinend immer das Falsche. Nach einigen Minuten kehrten sie sich gelangweilt ab und ließen ihren Blick demonstrativ über die bunten Flaschen hinter der Theke gleiten oder starrten einfach ihr Spiegelbild an der Wand an, ein unmissverständliches Signal für mich, aufzustehen und Leine zu ziehen. Vielleicht wollten sie, dass man am Ball blieb, nicht so leicht aufgab, aber ich hasste es, mich einer Frau aufzudrängen. Entweder es funkte auf den ersten Blick, oder nicht.

Das *Istanbul* schloss, weil der Inhaber, nach zwanzig Jahren erfolgreichen Geschäftslebens in Berlin, das unzählige Pleiten und Wiedereröffnungen von Restaurants, Reiseagenturen und Spielhöllen einschloss, plötzlich alles verkaufte, um in seine Geburtsstadt am Mittelmeer zurückzukehren und für das Amt des Bürgermeisters zu kandidieren. Sein Neffe, ein ehemaliger Schulkamerad von mir, meinte, sein Onkel wolle zu Hause unbedingt beweisen, dass er auch ohne seine Deutsche Mark in der Tasche etwas wert sei. Er wusste, dass man sich hinter seinem Rücken über ihn lustig machte. »Der Ali«, sagten die Leute bei ihm zu Hause in der Türkei, »was hat der schon erreicht? Gut, er ist reich geworden, aber die Deutschen spucken denen doch ins Gesicht, dann kommen sie hierher und spielen den großen Onassis.« Ich weiß nicht, ob er die Wahlen gewonnen hat, zurückgekommen ist er jedenfalls nicht mehr.

Als ich das *Diwan* betrat, sah ich die anderen schon am gewohnten Platz hinten rechts sitzen. Es war noch ziemlich leer. Die Kneipen füllten sich erst gegen neun, halb zehn, wenn die Leute vom Abendessen kamen. Wir bestellten jeder ein Alsterwasser und steckten Zigaretten an. Ich erzählte von meinem Vater, wie ich ihn mit meiner Mutter besucht hatte, dass man uns immer nur kurz erlaubte, in sein Zimmer zu gehen, dass er immer noch nicht aus dem Koma erwacht war. »Hoffentlich kehrst du mit guten Nachrichten heim«, hatte meine Mutter zu mir gesagt, als sie mich an diesem Abend verabschiedete.

»Die gute Nachricht, dass dein Vater bald gesund nach Hause kommt«, meinte Murat mit ernster Miene.

Ich dachte einen Moment nach. »Ich weiß gar nicht, ob sie noch damit rechnet. Ich habe das Gefühl, sie ist viel mehr gespannt darauf, ob die Bullen diese Kerle ausfindig machen werden oder nicht.« Ihr Satz war zugleich wie eine Aufforderung an mich gewesen, selbst tätig zu werden, etwas zu unternehmen, damit die Täter gefasst wurden. Ich kann schwören, dass an diesem Abend jeder, der an unserem Tisch saß, ihren Satz eigentlich so interpretierte.

So waren wir kaum überrascht, als Hucky wütend »Da kann sie lange warten!« sagte. Eigentlich hieß er Hans, aber jeder nannte ihn Hucky, vielleicht deshalb, weil er ein ungeheuer zuverlässiger und spaßiger Mensch war. Er gehörte seit Jahren zu meiner Clique, die mit Kenan auf vier angewachsen war. Huckys Vater war bei einem Flugzeugabsturz ums Leben gekommen, über den Kanarischen Inseln, weshalb er nie einen Fuß in ein Flugzeug setzte und geschworen hatte, nie nach Lanzarote, oder wie diese Inseln da unten alle heißen, zu fahren. Er war groß, mager und trug eine Nickelbrille. Er sah einem berühmten deutschen Schauspieler ähnlich, an dessen Namen ich mich nicht mehr erinnern kann, ich glaube, er hat in *Lilli Marleen* den Pianisten gespielt, den Pazifisten, der später im Krieg fällt, während Hanna Schygulla ihr Lied zum tausendsten Mal im Radio vorträgt.

»Ich habe eine Idee, wie wir die Skins finden können«, sagte Murat leise.

Wie auf Kommando steckten wir die Köpfe zusammen, um kein Wort von dem zu verpassen, was Murat in den nächsten Minuten erzählte.

»Wie viele Nazis gibt's in Berlin? Tausend? Zwei-, drei-, fünftausend? Okay. Klingt nach Stecknadel im Heuhaufen, was? Ist's aber nicht. Es gibt bestimmte Orte, wo die sich herumtreiben. Hast du zum Beispiel je einen Glatzkopf in Charlottenburg gesehen?«

»Schon, aber alles nur natürliche«, sagte ich grimmig.

»Und nach Kreuzberg können sie sich gar nicht verirren, es sei denn, sie sind lebensmüde.«

Das Gespräch kam zwangsläufig auf den Skin, der sich kurz nach dem Mauerfall auf der Suche nach seinen Blutsbrüdern im Wessiland tatsächlich nach Kreuzberg verirrt hatte. Er war ahnungslos in einen türkischen Gemüseladen gegangen und hatte nach einer Straße in Moabit gefragt. Als er gemerkt hatte, dass er im falschen Berlin gelandet war, war er Hals über Kopf getürmt, der Ladenbesitzer gleich hinterher, und als der Skin sich erschreckt umdrehte, um zu schauen, wer da auf seine Schulter klopfte, hatte er nur eine fette, lange Banane erblickt. Die ganze Oranienstraße hatte Tränen gelacht, allen voran der türkische Gemüsemann, der auf seine Schenkel klopfte und sich vor Lachen bog, während der Skin mit kreidebleichem Gesicht die Banane schälte, in Sekundenschnelle aufaß und in der U-Bahn verschwand.

»Lass jetzt die alten Geschichten und erzähl, was du weißt«, sagte Kenan ungeduldig.

»Also gut. Es gibt 'ne Kneipe in Marzahn.«

»Du spinnst ja wohl, Marzahn! Da können wir ja gleich zum Zoo fahren und uns den Löwen zum Fraß vorwerfen, Mann.«

»Ömer hat Recht. Die schicken uns da bestimmt nicht mit 'ner Banane nach Hause«, sagte Kenan.

Hucky schwieg.

»Lasst mich doch erst mal ausreden, okay?«, beschwerte sich Murat. »Ich hab doch nicht gesagt, dass wir zu viert 'ne Kneipe stürmen sollen, wo hundert Glatzen hocken.«

»Was denn dann?«

»Na ja, ich weiß nicht. Ich glaub nur, dass wir da bestimmt 'nen Hinweis kriegen können über die Kerle, die Ömers Vater ...«

Hucky schnitt Murat das Wort ab. »Kommt, Jungs«, sagte er, »so geht das nicht. Wir sind keine Profis, außerdem sind wir absolut in der Minderzahl. Wenn man einen Skin allein erwischen könnte, hätte es vielleicht einen Sinn. Aber woher sollen wir wissen, dass er die Namen der anderen kennt, die wir suchen?«

»Man muss es zumindest probieren«, sagte Murat, »mir

fällt sonst nichts ein, wie wir die Richtigen finden könnten. Bei einem müssen wir anfangen. Auch wenn das keinen Erfolg verspricht. Eine andere Wahl haben wir nicht. Oder?«

»Also gut, sagen wir mal, wir versuchen's. Aber wie willst du das überhaupt anstellen?«, fragte Hucky.

Murat schaute ihn nachdenklich an. »Wir nehmen das Auto meines Vaters«, sagte er, »fahren in die Straße, wo die Kneipe liegt, und parken in einiger Entfernung, jedenfalls so, dass man uns nicht sehen kann.«

»Wie 'ne richtige Observationstruppe«, sagte Hucky. »Und dann?«

»Wir warten so lange, bis einer von denen vollgetankt ist und allein nach Hause torkelt. Da schnappen wir uns ihn!« Dabei machte er mit der rechten Hand eine Bewegung, als ob er endlich eine lästige Fliege erwischt hätte.

»Und der Typ kotzt uns das ganze Auto voll, fällt ins Koma, stirbt, wir vergraben ihn auf dem alten Mauergelände, und wenn er gefunden wird, hält man ihn für einen erschossenen DDR-Flüchtling, was?«, sagte ich trocken.

Niemand lachte. Wir rauchten eine Weile still vor uns hin.

»Eigentlich ist die Idee gar nicht so übel«, sagte Kenan schließlich. »Ganz im Ernst. Murat hat Recht. Bei einem müssen wir anfangen. Vielleicht können wir ihn so erschrecken, dass er uns verrät, wo wir nach den richtigen Skins suchen müssen. Das wäre Gold wert.«

»Find ich auch«, sagte Hucky. »Wir sollten's versuchen.«

»Na gut«, sagte ich. »Dann mal los!«

Den ersten Schreck bekamen wir, als wir das Auto von Murats Vater sahen. Es war ein roter BMW. Damit würden wir im Osten auffallen wie ein bunter Hund, aber es war das einzige Fahrzeug, das wir auftreiben konnten. Ich hatte keinen Führerschein, die anderen hatten keine Autos. Also schmissen wir uns rein und fuhren los. Der Ku'damm war voll wie am letzten Sonnabend vor Weihnachten. Ich schaute mir die Lichter der Stadt an, die ich so liebte. Nachts sah Berlin hinreißend aus, es war voller Leben, aufregend, es war ein Genuss, abends über den Ku'damm zu fahren, sagen wir mal, im gelben Porsche, offenes Verdeck, Tarkan aus der Stereoanlage, »Komm zurück, Baby, ich bin verzweifelt«, vorbei am *Far Out* und am *Chateau,* weiter bis zum Europacenter, parken, bei *Mövenpick* ein Eis holen, sich auf die Treppen vor der Gedächtniskirche setzen und dem Treiben zuschauen. Träumen. Dabei sein. Leben.

Wir fuhren über die breite und menschenleere Bismarckstraße, passierten die Siegessäule und bogen in die Potsdamer Straße gen Osten ein. Wir hatten Zeit und wollten sie nutzen, um uns Marzahn in aller Ruhe zu nähern. Im Dunkel der Nacht bildete der Potsdamer Platz eine unwirkliche, fast bedrohliche Kulisse. Auf den Baustellen wurde noch gearbeitet, und ich schaute auf meine Uhr, sie zeigte kurz vor Mitternacht. Riesige Kräne drehten wie schwerfällige Dinosaurier ihre Hälse über den schwarzen Löchern, die man auszuheben begann. Ich sah überall kleine Gestalten mit gelben Overalls und Schutzhelmen herumklettern, eine Szene wie aus einem James-

Bond-Film, aller Länder Rassen sind unter der Erde, in einer geheimen Anlage vereint, wo der perverse Möchtegern-Weltherrscher seine U-Boote versteckt und von wo aus er den Russen oder Amis ihre millionenschweren Atomraketen klaut, bevor alles in die Luft fliegt. Die Mitte Berlins verleitete zu eigenartigen Gedanken. Ein altes Nazigebäude folgte dem anderen, leer stehende Ministerien und Botschaftsvillen, die Fassaden waren seit Jahrzehnten nicht renoviert worden, man konnte hier ohne weiteres Zutun historische Filme drehen. Die labyrinthartigen Hinterhöfe im Scheunenviertel eigneten sich besonders gut dafür. »Halt, stehen bleiben oder ich schieße!« Man hatte mit uns drei oder vier Besichtigungstouren durch den Osten gemacht, nachdem die Mauer gefallen war und wir noch völlig ohne Ahnung waren, was uns blühen würde, auch zum Checkpoint Charlie waren wir gefahren, um die armen Ossis zu empfangen. Im Osten schien die Zeit stillgestanden zu haben. Vor allem in der Oranienburger Straße, wo ich mich manche Nacht herumtrieb, um die hübschesten Nutten Berlins anzuschauen, hatten die Häuser immer noch Einschusslöcher vom Krieg. In diesen Hinterhöfen hallten immer noch die Hacken der schwarzen SS-Stiefel im Ohr und die Schreie der armen Juden, die auf ihr Schicksal warteten. Irgendwie hatte ich mich bis zu diesen obligatorischen Schultouren nie so richtig mit der Berliner Geschichte beschäftigt. Das schien mir bis dahin wie etwas, das nicht zu mir gehörte. Aber in jener Nacht, als wir auf dem Weg zum Alexanderplatz die Oranienburger Straße passierten, versank ich wieder in schwere Gedanken. Irgendwie war das aberwitzig. Man baut eine Synagoge wieder auf und muss sie so schwer bewachen, dass man als Normalbürger Angst hat vorbeizuschlendern. In zehn Metern Entfernung die Nutten in überlangen Lackstiefeln und einem Rock, der knapp über dem Hintern endet. Verrückte Kneipen hinter pockennarbigen Fassaden. Und drei Türken und ein Deutscher in einem knallroten Auto auf der Suche nach Skinheads in einem Land, in dem bis vor kurzem »Hoch die internationale Solidarität« gebrüllt wurde. Auf der Suche nach den Angreifern eines alten Mannes, der noch nie etwas von einem Staat namens DDR gehört hatte, als er dreitausend Kilometer weit weg sein Dorf verließ. Plötzlich erschien mir Berlin ganz fremd, so fremd wie mein Vater selbst. Was wusste ich schon von ihm, außer dass er ein alter sentimentaler Mann war, ein Mensch ohne besondere Eigenschaften? Ich wusste nichts von ihm.

Murat fand die Kneipe, als ob er sie persönlich dort eröffnet hätte. Wir fuhren nur einmal daran vorbei, aus Angst viel zu sehr aufzufallen. Sie war nicht übermäßig groß. Ein altes Schild wies sie als »Bierstube« aus, ohne nähere Bezeichnung. Sie war in einem allein stehenden Haus untergebracht, neben einem Grundstück, das nicht bebaut war, sodass man auch aus sicherer Entfernung die Tür im Blick behalten konnte. Wir wendeten den BMW, parkten hinter einem Lieferwagen und stiegen aus.

Skins in kleinen Gruppen kamen. Lange Zeit verließ

niemand die Kneipe, während in kurzen Abständen immer neue hineinströmten. Jedes Mal, wenn die Tür aufging, drang ein fürchterlicher Lärm nach draußen, der mit dem Zufallen der Tür abrupt endete und der ungeheuren Stille Platz machte, die über dem ganzen Bezirk mit seinen stereotypen Plattenbauten lastete. Wir rauchten, vertraten uns hinter dem Lieferwagen die Beine und versteckten uns im Auto, wenn neue Kundschaft in Sicht war. Die Straße machte hinter uns einen kleinen Schlenker nach rechts, um vor einem riesigen Hochhaus zu enden, sodass wenigstens von hinten niemand kam. Dafür saßen wir in der Falle, denn wenn wir bemerkt wurden, mussten wir zwangsläufig wieder die Kneipe passieren, um zu fliehen, und falls sich zehn oder auch nur fünf Skins vor uns stellen würden, waren wir gefangen. Was dann passieren würde, wollte ich mir gar nicht erst vorstellen.

Mit der Zeit wuchs unsere Nervosität. Wir rauchten abwechselnd, um uns nicht durch Rauchschwaden zu verraten. Ich kam alle fünfzehn Minuten an die Reihe, was mich noch gereizter machte. Keiner von uns hatte je an einer ernsthaften Prügelei teilgenommen. Wir hatten Schiss, aber keiner war bereit das zuzugeben. Schon der Anblick von mehreren Skinheads in Kampfuniform löste bei mir Bauchkrämpfe aus. Die Vorstellung, dass in diesem Häuschen vielleicht über fünfzig versammelt waren, glich einem echten Horrorfilm.

Als nach zwei Uhr weitere Skins um die Ecke bogen, versteckten wir uns wieder im Auto. Sie gingen hinein, aber die Tür schloss sich diesmal nicht sofort. Eine andere Gruppe kam heraus. Sie stellten sich vor den Eingang und begannen sich erregt über etwas zu unterhalten. Wir duckten uns, um nicht gesehen zu werden. Ihre Stimmen waren deutlich zu hören, aber ich verstand nur einzelne Wörter wie »Scheiße, Mann« oder »Hau ab«. Sie stritten sich etwa eine Viertelstunde. Danach gingen drei wieder hinein, während zwei sich lösten und in die entgegengesetzte Richtung marschierten. Sie hatten das Lokal verlassen und gingen offenbar nach Hause.

»Los, hinterher!«, sagte Hucky aufgeregt.

»Quatsch!«, flüsterte Kenan. »Die sind zu zweit, Mann! Wir suchen einen Einzelnen!«

»Umso besser! Zwei wissen mehr als einer!«

»Mit zweien werden wir nicht fertig! Was ist, wenn sie Waffen haben?«

In dem Moment fiel einer von den beiden auf den Bürgersteig. Er rollte sich zusammen und lag da wie tot. Sein Kumpel bückte sich zu ihm herunter und versuchte ihn wieder aufzurichten. Aber das klappte nicht, denn er war viel schmächtiger als der andere. Er versuchte vergeblich, ihn unter dem Arm zu stützen und hochzuziehen. Der am Boden schrie laut etwas wie »Lass mich in Ruhe«, er war anscheinend total besoffen.

»Jetzt!«, schrie ich Murat zu, der wie auf Kommando den Motor startete und ohne Licht losfuhr. Wir waren in Sekundenschnelle bei den Skins, die sich etwa fünfzig Meter von der Kneipe entfernt hatten. Der Betrunkene war viel zu sehr mit sich selbst beschäftigt, um uns zu bemerken, und sein nüchterner Kumpel sah uns erst, als wir einige Meter vor ihnen waren, aber er konnte nicht erkennen, wer im Auto saß.

Alles Weitere ereignete sich in einem unglaublichen Tempo. Murat hielt an, wir sprangen raus und stürzten uns auf den Skin, der wie gelähmt dastand und uns mit weit geöffneten Augen ansah. Der Besoffene rollte auf den Bauch, als er losgelassen wurde. Ich packte den nüchternen Skin an der rechten Schulter, Hucky nahm seinen linken Arm und bog ihn nach hinten, worauf er fürchterlich zu schreien begann. Hucky drängte ihn auf den Rücksitz, Kenan saß schon drin und zog ihn weiter rein. Ich warf mich auf den Beifahrersitz und wir fuhren mit quietschenden Reifen davon. Der andere blieb einfach auf dem Boden liegen.

Der Skin hörte ziemlich schnell auf zu schreien. Er saß mit schreckgeweiteten Augen zwischen Kenan und Hucky und sagte kein Wort.

Diesmal nahm Murat einen anderen Weg. Links vom Potsdamer Platz bog er nach Kreuzberg ab und ich atmete endlich auf, denn hier konnte uns nichts mehr passieren, hier waren wir auf unserem eigenen Territorium, in der befreiten Zone. Ich hatte für einen Moment den Eindruck, Murat würde uns zum Kottbusser Tor fahren, in irgendein Kaffeehaus, wo wir den Kerl erst einmal so richtig auseinandernehmen konnten, aber er bog wieder ab und hielt plötzlich in einer völlig dunklen Ecke nahe den Baustellen. Er schaltete den Motor aus, worauf Hucky den Skin wieder aus dem Auto zerrte, ohne dabei seinen zurückgebogenen Arm loszulassen.

»Weißt du, wie dieses Stück Erde hier heißt?«, schrie er den Skin an und drückte mit seiner linken Hand den kahlen Kopf tief nach unten. Er ging mit seinem Gesicht ganz nahe an sein Ohr und sagte: »Das ist euer Todesstreifen, Mann!«

Der Skin spuckte vor seine Füße auf den Boden. Er zitterte fürchterlich, sagte kein Wort und schaute uns nicht an. Ich stellte mich vor ihn. Er drehte seinen Kopf zur Seite, um mir nicht ins Gesicht sehen zu müssen. »Wir lassen dich wieder gehen«, sagte ich, »wenn du uns erzählst, was wir hören wollen, klar?« Keine Reaktion.

»Vor drei Nächten ist hier etwas passiert«, sagte ich. »An der Oberbaumbrücke. Ihr habt 'nen alten Mann gepackt und in die Spree geworfen. Wenn du uns sagst, wer dabei war, lassen wir dich wieder laufen. Hast du verstanden?«

Er hob den Kopf und schaute mich an, ich werde diesen Blick nie vergessen, er war voller Verachtung und Hass. Er schien überhaupt nichts verstanden zu haben, jedenfalls öffnete er nicht den Mund, um zu antworten, er tat gar nichts, er schaute mich nur an und schwieg.

»Scheiße, Mann!«, schrie Hucky. »Was seid ihr bloß für Typen! Was sind das nur für Scheißklamotten, ihr kommt euch damit wohl großartig vor, was?« Er schob mich zur Seite und baute sich vor dem Skin auf. Er war vielleicht zwei Köpfe größer als der schmächtige Skinhead. »Woher kommst du überhaupt?«, fragte er. »Antworte gefälligst, okay? Hier hilft dir keiner! Hier können wir dich abmurksen und niemand erfährt davon, begreif es doch endlich!«

Einen Moment lang überlegte ich, was wir tun sollten,

wenn er nicht den Mund aufmachte. Ihn schlagen, bis er sprach? Wer wollte ihn denn schlagen? Ich fühlte mich plötzlich unheimlich müde. Ich war nahe daran, alles zu bereuen. Was passierte, wenn er jetzt einen verdammten Herzanfall bekam und in unseren Armen starb? Die seltsamsten Gedanken schossen mir durch den Kopf, aber der Skin machte ihnen ein unerwartetes Ende.

»Ich weiß nicht, wovon ihr redet! Ich weiß von nichts!«

»Ich wette, du weißt mehr, als du uns verraten willst, Mann!«, schrie Hucky weiter. »Vielleicht warst du ja selbst dabei?« Er ging ganz nahe an seinen Kopf heran und packte sein Kinn. Der Skin versuchte plötzlich loszulaufen, aber Kenan und Murat hielten ihn zurück. Da landete schon der erste Schlag in seinem Gesicht.

Hucky schlug drauflos. »Scheißkanaken!«, brüllte der Skin. Bald war seine rechte Augenbraue aufgeplatzt, das Blut färbte die eine Gesichtshälfte rot, jedes Mal wenn er sich aufrichtete, bekam er einen weiteren Schlag ins Gesicht. Ich wollte »Stopp!« sagen, hielt mich aber zurück. Wenn wir irgendetwas aus ihm herausholen wollten, hatten wir keine andere Wahl, als ihn zu verprügeln. Freiwillig würde er uns kein Wort sagen. Schließlich sank er auf den Boden und stand nicht mehr auf. Er war nicht ohnmächtig, er lag einfach nur da und hatte die Schläge satt. Hucky zündete sich eine Zigarette an und beobachtete ihn. Ich fragte mich, was wir nun tun sollten, er sagte nichts, alles war umsonst.

Plötzlich zog Murat ein Messer aus seiner Tasche. Es war ein albernes Schweizer Messer, mit tausend Schnickschnack, es musste seinem Vater gehören, denn so etwas Teures konnte er sich bestimmt nicht leisten. Er versteckte den dicken Schaft mit dem weißen Kreuz in seiner Faust, sodass nur die Klinge sichtbar war, hockte sich neben den Skin und hielt ihm das Ding vor die Nase.

»Wenn du nicht augenblicklich was sagst, bist du tot!«, flüsterte er. Wir waren alle wie hypnotisiert.

»Ich weiß nicht, wovon ihr redet!«

»Also noch mal«, sagte Hucky. »Vor drei Tagen, nachts bei der Oberbaumbrücke, da habt ihr 'nen Türken ins Wasser geschmissen. Wer war mit dabei? Ich meine, außer dir!«

»Ich war's nicht! Wirklich nicht!«

»Wer war's dann?«

»Wir haben davon gehört«, sagte er leise. »Es war keiner von uns. Keiner aus Berlin. Die sind von außerhalb gekommen.«

»Wie von außerhalb?«, fragte Murat. Er hielt die Klinge ganz dicht an die Kehle des Skins.

»Aus Cottbus. Die sind aus Cottbus gekommen und wieder abgehauen.«

»Habt ihr das auch der Polizei erzählt?«

Der Skin schaute mich entgeistert an. »Natürlich nicht, Mann! Lasst mich jetzt los!«

»Ich glaub ihm kein Wort«, sagte Hucky. »Der lügt doch wie gedruckt. Ich wette, er war selbst dabei an dem Abend, als man deinen Vater ertränken wollte.«

Ich ärgerte mich, dass Hucky dies so offen sagte, denn alle Zeitungen waren voll mit dem Namen Gülen. Jetzt würden sie mich leicht ausfindig machen, aber die Worte waren nun einmal gefallen.

Hucky sprach ganz ruhig weiter: »Ich bin dafür, dass wir diesen Scheißkerl kaltmachen und begraben. Auf eine Leiche mehr oder weniger kommt's hier nicht an. Das heißt doch nicht umsonst Todesstreifen hier, ich wette, unter unseren Füßen wimmelt's nur so von Skeletten.«

Da fing der Skin an zu heulen. Er sah schrecklich aus. Ich hätte ihm am liebsten ein Taschentuch gegeben, damit er sich all den Rotz, die Tränen und das Blut vom Gesicht wischen konnte. Er war nicht älter als wir, vielleicht sogar jünger, mager und total blass. Seiner Sprache nach war er eindeutig ein Ostler. Vielleicht kam er selbst aus Cottbus, Schwerin oder wie all diese Orte dort hießen. Ich bekam Mitleid mit ihm, hielt jedoch weiter den Mund.

»Ich weiß wirklich nicht viel«, jammerte er, »ich bin doch erst seit einem Monat dabei. Ich hab nur gehört, dass es ein Unfall war. Der Mann fiel einfach ins Wasser, oder er ist selbst hineingesprungen, was weiß ich. Ich hab's erst heute Abend in der Kneipe gehört. Mehr weiß ich wirklich nicht. Nur, dass sie aus Cottbus waren und nicht aus Berlin, daran kann ich mich erinnern.«

Ich sah in Kenans ausdrucksloses Gesicht und las daraus, dass es keinen Sinn mehr hatte weiterzumachen, deshalb bedeutete ich Murat mit einer Kopfbewegung, sein Messer wieder einzustecken.

»Kommt, wir hauen ab«, sagte Kenan.

»Und was ist mit dem?«, fragte Hucky.

»Der kommt schon allein zurecht.«

IV

Welcher dieser Amerikaner ist denn nun der berühmte Charlie? Seyfullah kann es nicht ausmachen, sie sehen alle gleich aus, einige weiß, die anderen so schwarz wie die afrikanischen Matrosen, mit denen er nächtelang auf dem Hamburger Fischmarkt zusammen mit den Akkordeonspielern Seemannslieder gesungen hat. »Junge, komm bald wieder …«

Die Amerikaner drehen die Worte im Mund herum wie Kaugummi, bevor sie sie ausspucken, kein Wunder, dass man sie nicht versteht. Das Loch in dieser endlosen grauen Mauer, durch das Seyfullah schlüpfen darf, gehört offenbar diesem Charlie, es ist ja schließlich nach ihm benannt. Ein reicher Mann muss er ja sein, bei all der Kundschaft. Während er mit den Japanern in der Schlange steht, gibt er die Suche nach Charlie auf, denn er hat noch nie in seinem Leben erlebt, dass sich der große Boss auf dem Betriebsgelände blicken lässt.

Auf der anderen Seite der Mauer trifft er Margret wieder, die mit ihrem westdeutschen Pass den Grenzübergang Friedrichstraße benutzen musste.

Die Kommunisten schauen noch unglücklicher aus als die Deutschen, das heißt, die richtigen Deutschen, die im Westen wohnen. Wenn der Westen ein unerträglich lärmendes Lichtermeer ist, ist der Osten ein stiller und dunkler See. Auf eine merkwürdige Weise erinnert er Seyfullah an die unermessliche Langeweile im Dorf. Der weite, graue Himmel, die riesigen Wohnhäuser, die sich wie die Verlängerung der Mauer über weite Strecken des Ostteils der Stadt erstrecken. Kleine Läden, die nicht zum Einkaufen einladen, leere Schaufenster, winzige, kastenförmige, stinkende Autos und lange Gesichter, überall diese langen Gesichter. Nein, die Kommunisten sind nicht glücklich. Vielleicht sind sie deshalb so still. Oder sie sind unglücklich, weil ihr Teil der Stadt so still und grau ist. Aber wer hat diese Ruhe verordnet, die sich über alles gelegt zu haben scheint wie eine alte, mottenzerfressene Decke? Das Leben ist laut, denkt Seyfullah, nur der Tod ist stumm. Wenn die Kommunisten in ihrem Land selbst so unglücklich sind, warum wollen sie dann unbedingt ihre Decke aus Schweigen über die ganze Erde ausbreiten?

Margret erzählt, dass es ihnen hier gar nicht so schlecht geht. Sie haben alles, sie dürfen nur nicht über die Mauer klettern. Solange sie auf ihrer Seite bleiben, ist alles in Ordnung.

Jenseits der Mauer liegt das Land der Nachtigallen, entscheidet Seyfullah. Weißt du, warum? Du steckst eine Nachtigall in einen Käfig aus purem Gold, trotzdem hat sie Heimweh. – Du immer mit deinem Heimweh, sagt Margret, außerdem sind diese Menschen hier zu Hause, weshalb sollten sie Heimweh haben? – Du verstehst es nicht, meine Liebste. Der Vogel weiß sein Nest nur zu schätzen, wenn er es verlassen kann. Die Wärme, die einem bei der Rückkehr ins Gesicht schlägt, das ist die Heimat. Wer sie nie verlassen hat, weiß nicht, was sie ist. Ein Nest ist nur deshalb so warm, weil der Himmel zu weit und der Irrflug auf die Dauer zu anstrengend ist. Kurzum, Heimat ist nur dann da, wenn es auch eine Fremde gibt, Margret. – Seyfi, du erzählst manchmal so ein wirres Zeug, ich verstehe nichts. – Seyfullah küsst ihr die Hände, Arme, das Gesicht, die Augen. Das macht nichts, sagt er, es ist wirklich nicht wichtig, vergiss es. – Nein, sagt sie, für dich ist es wichtig.

Ich konnte nicht einschlafen. Nichts half. Ich ging im Wohnzimmer auf und ab und überlegte, ob wir nach Cottbus fahren sollten. Wir hätten Unterstützung bekommen können, zum Beispiel von Raschid und seinen Jungs. Sie hatten schon öfter Touren in den Osten gemacht und waren mit all diesen Nazinestern vertraut. Aber das waren spontane Klatschtouren gewesen, hinfahren, kurz anhalten, rausspringen, mit Baseballschlägern ans Werk und in zehn Minuten wieder auf die Autobahn. Das war ein anderes Kaliber. Das war nichts für uns, oder besser, wir waren nicht für so etwas geschaffen. Nach diesem Abend auf dem gespenstischen Mauergelände hatte ich die Nase voll, ich glaube, den anderen ging's nicht anders, denn auf der Rückfahrt hatte keiner den Mund aufgemacht. Hucky war schon an der ersten Bushaltestelle ausgestiegen, weil er etwas frische Luft brauchte, wie er sagte. Ich hüpfte an der nächsten U-Bahn raus, nur Kenan ließ sich in Ruhe von Murat nach Hause fahren.

Und auch wenn Raschid und seine Jungs die Arbeit für uns übernahmen, was würde das bringen? Wir wussten doch gar nicht, wer aufgeklatscht werden sollte. Keine Namen, keine Gesichter. Ich überlegte, ob ich zu Löbel gehen sollte. Der würde mich mit Sicherheit fürchterlich ausschimpfen. Ich konnte ihm doch nicht erzählen, dass wir einen Skin fast zu Tode geprügelt hatten. Die Sache an sich würde ihm wohl nicht zu nahe gehen, wem Anstock nichts bedeutete, dem würde ein Skin aus Marzahn auch total egal sein. Ich hatte aber nicht auf ihn gehört, das war der Punkt. Dafür hatte er bestimmt kein Verständnis.

Während ich wie ein Löwe im Käfig nervöse Kreise um den Esstisch zog, fiel mir mein alter Baseballschläger ein, den ich irgendwann im Keller zwischen alten Regalen vergraben hatte. Nicht einmal mein Vater, der hin und wieder stundenlang im Keller verschwand, hatte diesen Prügel bis jetzt entdeckt. Er hatte sich dort eine kleine Sitzecke geschaffen, mit einer nackten Glühbirne an der Decke und einem kleinen Holzschemel, um seinen Schnaps abzustellen. Manchmal schlief er dort im Sitzen ein. Jetzt war die Zeit gekommen das Ding heraufzuholen. Ich öffnete das Schlüsselschränkchen neben der Wohnungstür und nahm den Kellerschlüssel heraus. Es war fast vier Uhr morgens, das ganze Haus schlief. Ich lief geräuschlos die Treppe hinunter. Das Vorhängeschloss sprang sofort auf. Ich knipste das Kellerlicht aus, nachdem ich die Glühbirne in unserem Verschlag angemacht hatte. Das grelle Licht warf diffuse Streifen auf den Betonboden. Ich steckte mir eine Zigarette an und stellte den kleinen Aschenbecher, den ich aus der

Wohnung mitgenommen hatte, auf den Schemel und warf einen Blick in den Raum. Auf Metallregalen an den Wänden hatte mein Vater allerlei verstaut, alte, vergammelte Hüte, irgendwelche Maschinenteile, die ich nicht identifizieren konnte, Schrauben, handbemalte Holzlöffel, etwas, das wie eine implodierte Fernsehbildröhre aussah, ein Werkzeugkasten, staubige Schuhkartons. Mein altes Fahrrad stand angelehnt an der Rückwand. Ich versuchte aus Spaß, mich darauf zu setzen, aber die Reifen waren völlig platt. Der Baseballschläger war noch an seinem Platz hinter den Regalen, auf dem Boden. Ich hatte ihn in einen alten Putzlappen eingewickelt und unter den untersten Regalboden geschoben.

Da habe ich sie plötzlich gesehen, eine Holzkiste mit gewölbtem Deckel. Sie stand rechts von dem Regal, unter dem ich den Schläger versteckt hatte. Alte Zeitungen und schmutzige Lappen hatten sie fast völlig verdeckt. Ich nahm den Kram herunter und wollte sie etwas näher heranziehen, aber sie war schwer wie Blei. Ich stand auf und packte sie mit beiden Händen. Sie bewegte sich nur einige Zentimeter. An dem dunklen Streifen, den sie auf dem Boden hinterließ, konnte ich ablesen, dass sie seit Jahren nicht vom Fleck gerückt worden war. Der wunderschön geschnitzte, dunkelbraun lackierte Deckel ging nicht auf, das Schloss sah alt und verrostet aus, war aber zu. Ich lief zur Wohnung hinauf und machte so leise es ging die Tür auf. Ich suchte im Schrank nach einem passenden Schlüssel. Klein und flach musste er sein. Aber ich fand keinen, der zu der Kiste passen würde. Ich ging in mein Zimmer und suchte in meinen Schubladen, in denen ich tausend unnütze Dinge aufbewahre, nach kleinen Schlüsseln, die ich in der nächsten halben Stunde alle nacheinander ausprobierte, keiner passte. Ich hatte Angst das Schloss zu beschädigen. Wenn mein Vater das bemerkte, würde er sicher sehr böse sein. Ich konnte meine Neugierde kaum zügeln, aber etwas in mir sagte, ich solle die Kiste nicht anrühren. Meine Augen fielen schon halb zu, als ich mit dem Baseballschläger unter dem Arm unverrichteter Dinge die Treppe hochging und mich angezogen aufs Bett warf.

Nach ein paar Stunden Schlaf eilte ich am nächsten Morgen zum Kiosk – und obwohl ich mir schon denken konnte, was in der *Yeni Vatan* der Aufmacher sein würde, war ich äußerst gespannt auf die Neuigkeiten. Nach einem solchen Anschlag hörten sie nicht auf, ihn tagelang auf die erste Seite zu setzen, auch wenn es nichts Neues zu verkünden gab. Ich warf einen Blick auf die anderen Zeitungen, und als ich auch dort auf den Namen meines Vaters stieß, kaufte ich sie alle. Ich kam mit vier verschiedenen Zeitungen nach Hause und nahm sie eine nach der anderen zur Hand, während meine Mutter mir Tee einschenkte. Auch sie wollte wissen, was sie schrieben.

Die *Yeni Vatan* hatte eine Chronik der Anschläge seit dem Mauerfall veröffentlicht, allerdings nur die mit türkischen Opfern. All die Schwarzen, Polen, Zigeuner und Asiaten, die jeden zweiten Tag überfallen wurden, tauchten hier nicht auf, aber das wunderte mich nicht, denn auch in deutschen Zeitungen musste man mittlerweile mit der Lupe nach solchen Meldungen suchen. Solange es keine Toten gab, war das schon zur Routine geworden, andererseits kam jeder Brand mit Todesopfern auf die erste Seite, aber natürlich nur dann, wenn es in einem Haus passiert war, dessen Namensschilder unaussprechliche Buchstabenkombinationen aufwiesen. Jedenfalls war die Zahl der Anschläge auf Türken erstaunlich hoch – Quelle: Kriminalstatistik des Innenministeriums, Bonn. In einem Sonderkästchen wurde von einem ähnlichen Fall in Paris berichtet, dort hatten erst vor ein paar Monaten französische Rassisten einen Nordafrikaner in die Seine geworfen, der arme Mann war ertrunken. »Von den Franzosen abgeguckt«, schrieb die Zeitung. Außerdem widmete sie eine halbe Seite den »Stimmen aus dem Ausland«. Von der *New York Times* bis hin zum *Standard* und zum *Daily Telegraph* hatten alle namhaften Zeitungen der Welt über den Sturz meines Vaters in die Spree berichtet! Es war nicht zu fassen. Ich las die Auszüge aus ihren Kommentaren mehrere Male durch – für die Amerikaner und Engländer schien der Fall genauso klar zu sein wie für uns: »Die neonazistischen Anschläge auf Türken in Deutschland finden kein Ende«, schrieb der amerikanische Kommentator, »unter menschenrechtlichen Gesichtspunkten steuert das vereinigte Deutschland durch gefährliche Fahrwasser. Die Zukunft Europas wird auch davon abhängen, ob es in der Lage sein wird, seine Einwanderer friedlich zu absorbieren oder nicht.« Einmal abgesehen von Absorption, was noch schrecklicher klang als Integration, rief der Artikel eine gewisse Genugtuung in mir hervor. Obwohl

Ozeane zwischen uns lagen, verteidigte der Amerikaner, der diesen Kommentar verfasst hatte, unsere Rechte. Die Amerikaner verfolgten offenbar genau, was hier passierte, sie wussten von meinem Vater, von uns allen, so allein waren wir also doch nicht.

Der Leitartikel der *Yeni Vatan* handelte selbstverständlich auch von uns. »Warum schweigen die offiziellen Stellen immer noch?«, fragten die fetten Buchstaben links vom Aufmacher, der dieses Mal kein neues Foto von meinem Vater enthielt, man hatte sich mit einem verkleinerten Abdruck des Bahnhofsfotos begnügt. »Die Deutschen nennen die Polizei ihren Freund und Helfer«, schrieb der Kolumnist, »wir wollen gerne glauben, dass ihre Ordnungshüter wirklich so volksnah und fleißig sind. Wir zählen in diesem Land jedoch nicht zum Volk, deshalb erwarten wir auch von der deutschen Polizei nicht viel.«

Ich fühlte mich beschissen. Ich war der Sohn, und wenn ich nichts unternahm, um die Kerle zu finden, die meinen Vater angegriffen hatten, wer sollte sonst etwas tun? Die ganze Welt schaute auf uns. Auf mich, einen vollkommenen Versager.

Die meisten deutschen Zeitungen hatten eine sachliche und abwartende Haltung eingenommen, nur *Extra* hatte auf der ersten Seite dasselbe Foto meines Vaters vor dem Hamburger Hauptbahnhof abgedruckt, daneben eine kurze Zusammenfassung der polizeilichen Ermittlungen. Als ich die Zeitung gerade aus der Hand legen wollte, bemerkte ich noch einen Beitrag zum Thema auf Seite acht. Unter der Überschrift »Ein geheimnisvolles Opfer« waren vier oder fünf Sätze aufgelistet, neben jedem ein schwarzer Haken, als ob der Staatsanwalt von Berlin selbst die Liste auf ihren Wahrheitsgehalt hin geprüft und jede Aussage als richtig abgehakt hatte. Die Zeitung schrieb, dass mein Vater bei seiner Anwerbung Papiere gefälscht hatte, sich seine Zeit im *Irmak* vertrieb, wo extremistische Ausländer sich zusammenrotteten, und dass er als ein verschlossener Mann bekannt war, von dem nicht einmal die besten Freunde viel wussten. Zum Schluss stellte der Verfasser drei Fragen, natürlich auch abgehakt: »Gibt es weitere Geheimnisse im Leben des Opfers, die zur Aufklärung des Falles beitragen können?«, »War es Selbstmord?« und »Warum schweigen seine Landsleute?«.

Das Ganze war unterschrieben mit Kurt Wenzel. Neben diesem Artikel fand ich auch einen kurzen Kommentar mit den Initialen KW: »Ein unglücklicher Unfall bringt lange verschwiegene Tatsachen ans Tageslicht. Was für die Asylanten heute zur Routine zählt, war schon vor dreißig Jahren unter den ersten Gastarbeitern gewohnte Praxis: Dokumente zu fälschen, um nach Deutschland zu gelangen. Niemand weiß, wie viele sich auf diesem Wege in unser Land geschmuggelt haben und wie viel das den ahnungslosen deutschen Steuerzahler kostete.«

»Wie schmeckt der Tee?«, fragte meine Mutter.

»Ich habe einen schlechten Geschmack im Mund«, antwortete ich.

»Natürlich, du rauchst ja auch zu viel.«

»Der regelmäßige Wechsel von Wirklichkeit und Traum ist das Leitprinzip in Heines *Harzreise.* Hier setzt Heine seine Texte auch politisch ein. Er nutzt sie als Mittel, um Gegenbilder zum überlebten und antiquierten Deutschland aufzustellen.«

Das antiquierte Deutschland. Das gefiel mir gut, ich begriff nur nicht, auf welche Stelle im Text sich die Rede der Muthesius bezog.

»Auf welche Passage beziehe ich mich, wenn ich von diesem politischen Aspekt in der *Harzreise* spreche?«, fragte sie auch schon.

Alle vergruben ihre Köpfe schweigend in den gelben Büchlein, während Lissy auf dem Pult die Hände faltete und geduldig auf eine Antwort wartete.

Wir waren zu dumm. Oder zu faul. Oder einfach anders. Früher hatte man Bücher gelesen, Bücher geschrieben, meinetwegen auch Bücher verbrannt, heute bedeuteten sie nicht mehr viel. Könnte das der Grund dafür sein, weshalb man heute keine mehr verbrannte? Wäre ich Schriftsteller, dachte ich still nach, würde ich mich nach den Zeiten zurücksehnen, in denen man Bücher verboten und Autoren ihrer Gedanken wegen verfolgt hat. Ein Held zu sein, war noch nie so schwer gewesen wie heute. Heine hatte Glück gehabt.

»Das bezieht sich auf die Passage, wo er von Göttingen und den Studenten spricht«, sagte jemand.

»Gut. Dann schlagen Sie alle diese Stelle auf.«

Kenan zeigte mir die Seite fünf.

»Was war der Grund, warum sich Heine so über die Göttinger ärgerte?«, fragte die Muthesius weiter. Sie gab nicht auf.

»Weil sie ihn von der Uni geschmissen haben«, sagte Kenan.

»Ist das wirklich nur ein persönlicher Groll von ihm gewesen? Hat Heine das Deutschland seiner Zeit wirklich nur deswegen so scharf kritisiert, weil er persönlich betroffen war?«

Niemand antwortete. Anstock hatte nie solche Fragen gestellt, er ließ uns die Bücher aufschlagen und jemand las vor, dann wurde sowieso wieder über Goethe gesprochen. Egal, wen man gerade durchnahm, Anstock fand immer einen Weg, das Gespräch auf Goethe zu lenken. Für ihn war Heine sowieso ein überschätzter Dichter gewesen. Er hatte schon zur ersten Stunde Kopien von seinen Gedichten mitgebracht, die sich gut als Texte zu türkischen Schnulzen geeignet hätten, hitverdächtiges, sentimentales Zeug, enttäuschte Liebe, Nachtigallen, Rosenduft, der schöne Mai. Anstock hatte auch gar nicht die Absicht gehabt Heine lange durchzunehmen, wie er uns bald wissen ließ. Wir sollten zum *Faust* übergehen, auch als wir ihm sagten, dass wir den schon in der elften ausführlich behandelt hatten, war er dabei geblieben. Irgendwie war es ihm unbegreiflich gewesen, dass man Goethe ohne Anstock'sche Interpretation verstanden haben konnte.

»Heine war Jude«, sagte die Muthesius. »Könnte sein Werk durch seine Herkunft beeinflusst worden sein?«

»Klar«, sagte Kenan, »er hat sich ja auch in Bonn duelliert, weil sie ihn als Juden beschimpft haben. Daraufhin wurde er von der Uni geschmissen.«

Alle drehten sich nach uns um. Ich war stolz neben Kenan zu sitzen. »Heine wurde ausgegrenzt, weil er Jude war, aber er hat das als eine Herausforderung empfunden, die er angenommen hat. Ich finde, dass er gerade deshalb so sensibel war, so viel Tiefgang hatte.«

Tiefgang. Auf dieses Wort wäre ich auch in tausend Jahren nicht gekommen, aber für Kenan war das etwas, das er aus dem Ärmel schüttelte wie ein Zauberer seine Kaninchen.

»Ich finde, die Herkunft hat nichts mit dem Schreiben zu tun«, sagte jemand.

»Wäre Heine Deutscher gewesen, hätte er genauso gut schreiben können.«

»Heine *war* Deutscher«, sagte Kenan gereizt. »Gerade weil er nicht als Deutscher angesehen wurde, war er so verbittert. Deshalb hat er sich für gleiche Rechte für alle eingesetzt«, führte er zu meiner totalen Verwunderung fort.

Lissy glühte geradezu vor Aufregung. Die Klingel setzte der gespannten Atmosphäre ein Ende, alle packten ihre Sachen ein und verließen den Klassenraum.

»Fünfzig Jahre nach dem Mord an den Juden rühmt man sich jetzt mit Heine und Einstein«, sagte Kenan im Treppenhaus. »Vielleicht schmücken sie sich eines Tages auch mit irgendwelchen toten Türken.«

»Keine Angst«, meinte ich, »die Türken bringen's eh nicht so weit. Vor lauter Sorge neue Dönerbuden aufzumachen und Häuser in der Türkei zu kaufen, in denen sie sowieso nie wohnen werden, haben sie keine Zeit Bücher zu lesen, geschweige denn selbst etwas zu schreiben.«

»Oh doch«, sagte Kenan, »jede Menge Flugblätter und Liebessongs!«

»Eines so schlimm wie das andere«, antwortete ich, »denn sie sind beide nicht ehrlich.«

Der Mann hatte am Schultor gewartet, und als er mich sah, kam er direkt auf mich zu. Er war klein, dick und etwa fünfzig. Seine Haare hatte er auf der einen Seite lang wachsen lassen und auf die Glatze geklatscht. Er hatte ein rotes Gesicht, das nicht nur durch das Schwitzen verursacht zu sein schien, das ihm den Schweiß aus den Achselhöhlen förmlich herausquellen ließ. »Bist du Ömer Gülen?«, fragte er vorsichtig. »Ich komme von *Extra* und möchte dir ein paar Fragen stellen. Können wir uns irgendwo hinsetzen?«

»Was für Fragen?«, meinte ich, während ich mein Fahrrad weiterschob.

»Komm, ich spendiere dir ein Eis«, sagte er auf eine gespielt freundliche Art.

»Bin kein Kind mehr.«

»Na, dann trinken wir eben ein Bier zusammen.« Er war wie eine Klette. Auch als ich Anstalten machte loszufahren, ließ er nicht von mir ab. »Ömer, ich brauche deine Hilfe«, sagte er, während er neben mir herlief wie ein treuer Dackel, »sonst schreiben wir falsche Dinge über deinen Vater, und das willst du doch bestimmt nicht, oder?«

Ich hielt an. »Na gut«, sagte ich, »aber nur zehn Minuten. Ich hab keine Zeit.«

Er grinste mich an. »Ich hole mein Auto, dann werde ich im *Diwan* auf dich warten«, sagte er.

Woher kennt er meinen Namen, woher kennt er das *Diwan?*, fragte ich mich, während ich zur Nürnberger Straße radelte. Er schien alles zu wissen, was uns anging, das war unheimlich. Ich bereute es, ihm zugesagt zu haben, und hielt an. Nein, ich musste doch dahin, sei es auch nur, um zu erfahren, was er selbst wusste. Vielleicht hatte Löbel ihm mehr erzählt als mir.

Er hatte sich an einen Tisch am Fenster gesetzt und nippte schon an seinem Bier, als ich das Lokal betrat. Ich grüßte Murat und Kenan, die auch schon da waren und hinten an unserem Stammtisch Platz genommen hatten. Ich setzte mich zu dem Journalisten, der mir sofort ein Bier bestellte, das ich jedoch ablehnte. Ich wollte lieber Tee trinken.

»Ich denke, du bist kein Kind mehr«, sagte er zynisch.

»Wer hat Ihnen eigentlich erlaubt mich zu duzen?«

Er machte ein langes Gesicht, während ich mir eine Zigarette ansteckte. Ich hielt ihm die Packung hin, aber er wehrte ab: »Bin gerade dabei, mir das Rauchen abzugewöhnen. Verdammt schwer, kann ich nur sagen. Du solltest gar nicht erst damit anfangen.«

»Zu spät.«

»Na gut, kommen wir gleich zur Sache«, sagte er.

»Wie heißen Sie denn überhaupt?«

»Kurt Wenzel.«

»Also haben Sie das heute in der Zeitung geschrieben?«

»Jawohl«, sagte er stolz. »Wieso? Stimmt etwas nicht, was ich geschrieben habe?«

Ich antwortete nicht und wartete darauf, dass er mehr erzählte.

»Okay«, sagte er, »ich würde gerne mehr über dich erfahren, wann du geboren bist, hier oder in der Türkei, wann du nach Deutschland kamst. Erzähl mal ein bisschen von dir und deinen Eltern.«

»Erzählen Sie mir doch, was Sie wissen«, sagte ich, denn ich hatte keine Lust lange mit dem Mann zusammenzusitzen. Er ging mir unbeschreiblich auf die Nerven.

»Was wir wissen, schreiben wir täglich in der Zeitung«, entgegnete er spitz. »Du hast doch selbst gesagt, dass du's gelesen hast.«

»Wenn Sie mir nichts Neues erzählen, sage ich Ihnen auch nichts.«

Er lachte und trank sein Bier aus. Im selben Moment brachte Selma einen Teller gebratene Auberginen mit Knoblauchjoghurt, den sie vor ihn stellte.

»Willst du mal probieren?«, fragte er, als ob ich das noch nie im Leben gegessen hätte. »Ich habe einen Riesenhunger – bringen Sie mir bitte noch ein Bier?« Er schaute Selma länger als erlaubt nach und ich musste mich jetzt wirklich zusammenreißen. Ich wartete ungeduldig, bis er den Teller halb leergegessen hatte.

»Also gut«, sagte er, während er sich den Mund abputzte und die schmutzige Serviette wieder auf den Knien ausbreitete. »Die Skins kamen von außerhalb. Das ist alles, was mir die Polizei heute Morgen sagen konnte. Woher sie kamen, weiß man nicht, denn das Nummernschild hat keiner gesehen. Ich schätze, aus dem Osten.« Als ich weiter schwieg, fuhr er fort: »Ich werde ganz offen mit dir reden«, sagte er. »Ich glaube nicht, dass der Fall deines Vaters irgendetwas mit den Skinheads zu tun hat.«

»Woher wollen Sie das wissen?«

»Erstens habe ich doppelt so viel Erfahrung wie du, zweitens hat dein Vater etwas im Schilde geführt, das fühle ich.« Er legte eine kurze Pause ein, um meine Reaktion abzuwarten. Als nichts von mir kam, fasste er den Mut weiterzusprechen.

»Dieses *Irmak«*, sagte er, »ist ein mieser Schuppen. Nichts für einen Familienvater. Lauter merkwürdige Gestalten ohne Arbeit, die sich da zusammengefunden haben. Es würde mich interessieren, was dein Vater wirklich tat, wenn er euch sagte, er ginge ins Kaffeehaus.«

»Was soll das heißen?«, fragte ich ungehalten. »Wenn er sagte, er ginge ins Kaffeehaus, dann war er auch im Kaffeehaus. Sie waren doch selbst dort und haben darüber geschrieben.«

»Ja, schon, aber ich habe nicht alles geschrieben, was ich dort erfahren habe. Noch nicht. Zum Beispiel, dass dein Vater zwar oft dahin kam, aber nie lange blieb. Wohin ging er anschließend? Wann kam er wieder nach Hause?«

Ich schaute ihn an, und diesmal schwieg ich, weil ich tatsächlich keine Antwort wusste.

»Sag mir doch nur eins: An wie vielen Abenden in der Woche kam er spät oder gar nicht heim?«

»Er kam nicht spät. Nachdem er im Kaffeehaus war, kehrte er sofort wieder nach Hause zurück«, sagte ich entschlossen.

»Und du? Gehst du abends nie aus?«

»Klar gehe ich aus.«

»Woher willst du dann so genau wissen, wann dein Vater nach Hause kam?«

»Von meiner Mutter weiß ich es«, antwortete ich hastig, »außerdem geht Sie das alles überhaupt nichts an!«

Er lächelte vor sich hin, als er die Rechnung beglich. Ich ließ ihn nicht für mich bezahlen und stand auf.

»Wer war das? Was wollte er von dir?« Kenan schaute mich mit besorgter Miene an.

»Ein Reporter. Steckt seine Nase überall rein. Gefährlicher Typ.« Ich weiß nicht, warum ich ihm und Murat an dem Tag nichts von dem erzählte, was dieser Wenzel angeblich im *Irmak* über meinen Vater herausgefunden hatte. Ich wollte das Gespräch auf etwas anderes lenken und klopfte Kenan auf die Schulter: »Mensch, du bist echt ein Genie. Heine und du! Woher weißt du das alles über ihn?«

»Steht in seiner Biografie.«

»Ich wusste nicht einmal, dass er Jude war«, sagte ich.

»Er hat den Glauben gewechselt, aber man hat ihn trotzdem nicht geliebt.«

»Vielleicht war er ein mieser Kerl, wer weiß.«

»Ein Geächteter war er«, sagte Kenan. Wieder so ein magisches Wort, das mir nie eingefallen wäre.

»Dann war er einer von uns!«, rief Murat.

»Klar war er das. In Paris gab's damals den Bund der Geächteten. An seiner Stelle wäre ich bestimmt in diesen Verein eingetreten.«

»Bund der Geächteten! Mann, das ist absolut klasse! Bund der Geächteten!«

Irgendwie müssen wir in dem Moment total übergeschnappt sein, ich glaube, daran war die ungeheure Belastung der letzten Tage schuld, jedenfalls fanden wir alle die Idee großartig. Wir redeten darüber, was wir alles erreichen würden, wenn wir uns nur zusammenschlössen. Wir könnten jeden Schritt gemeinsam planen, uns immer gegenseitig helfen, niemand wäre nur auf sich allein gestellt, einer für alle, alle für einen, das klang alles toll und wir fragten uns, warum wir nicht vorher schon auf diese Idee gekommen waren. Vielleicht war es auch nur der Name, der uns magisch anzog, das Gefühl, endlich eine passende Bezeichnung für unsere Stimmungslage gefunden zu haben.

»Okay, wer darf bei uns Mitglied werden?«, fragte Murat.

»Ist doch klar, Mensch, nur die Türken, wer sonst!«, sagte ich.

»Quatsch!«, sagte Kenan. »Was ist mit den anderen? Raschid zum Beispiel?«

»Er ist Algerier, Mann. Afrika. Das ist hunderttausend Kilometer weit weg. Außerdem hasse ich Couscous.«

»Du hast mir doch selbst erzählt, dass wir vielleicht mit ihm und seinen Jungs nach Cottbus fahren sollten. Wenn es ums Skins-Aufklatschen geht, darf er ganz vorne marschieren, aber gleichzeitig sagst du, er sei keiner von uns. Außerdem glaube ich nicht, dass er in seinem ganzen Leben mehr als zwei Wochen in Afrika verbracht hat.«

»Na gut, Raschid gehört dazu. Meinetwegen auch die anderen. Jeder Kanacke ist natürliches Mitglied, okay?«

»Mit einer Ausnahme!«, sagte Murat. »Wer den Deutschen in den Arsch kriecht, darf nicht anschließend bei uns unterkommen. Verräter gehören nicht dazu, sonst bin ich nicht dabei.«

»Klar«, sagte Kenan, »keine Hofkanacken in unseren Reihen!« Das sagte er so ernsthaft, dass wir alle lachen mussten.

Sinan und Selma kamen von der Bar an unseren Tisch. Während ich ihnen von unserem Geheimbund erzählte, den wir gerade gegründet hatten, rannte Murat quer durch das Lokal und legte Tarkan auf. Er drehte die Musik so laut, dass man nichts mehr verstand. Er stieg auf einen Tisch und begann zu tanzen. Es war mehr eine Hüpferei nach Zulu-Manier, aber es machte uns ungeheuer viel Spaß, ihm zuzusehen. Wir klatschten die ganze Zeit Beifall, als er im Takt der Musik herumsprang, »Der Bund! Der Bund!«, schrie und dabei eine total ernste Miene machte. Schließlich standen wir alle auf und tanzten zusammen. Ich fühlte mich plötzlich von allen meinen Sorgen befreit, ich glaube, an diesem Nachmittag vergaß ich sogar, an meinen Vater zu denken.

Die nächsten Tage bis zum Wochenende verliefen ohne besondere Ereignisse. Wir bereiteten uns langsam auf die mündliche Abiturprüfung vor, die Kenan und ich in Deutsch machten. Viel Zeit war nicht mehr, aber es schien schon festzustehen, dass die Muthesius ihre Fragen auf Heine konzentrieren würde, sodass ich fast den ganzen Freitagnachmittag in der Gedenkbibliothek verbrachte, um Heine zu suchen, Heine zu bestellen, Heine zu kopieren und Heine zu lesen. Nach dem Besuch im Krankenhaus legte ich mich im Tiergarten auf eine Wiese und las die kitschigsten Verse, die mir je im Leben untergekommen sind, aber auch Erstaunliches. Es war mir unbegreiflich, wie jemand so viele Jahre vor uns dieselben Fragen gestellt haben konnte, wie er den gleichen Ärger über dieselben Zustände gehegt hatte und auf welche Gedanken er zum Schluss gekommen war. Zum ersten Mal in meinem Leben fühlte ich mich zu jemandem so stark hingezogen, dessen Bücher ich las. Ich las sie nicht nur, nein, ich fühlte sie, fasste sie an, tauchte in die Meere aus Buchstaben, die er manchmal komisch, oft ironisch, ja, sogar bösartig zusammengefügt hatte. Ich ignorierte alle Vorschriften und unterstrich Sätze in den ausgeliehenen Büchern mit dicker Tinte. Er hatte sich unglücklich verliebt und sprach von einem in Honig getauchten Schmerz, sentimentaler, aber auch schöner hätte es nicht einmal mein Vater ausdrücken können. Er erzählte von Pfennigsmenschen und dem Tugendpöbel, als ob er seine Abende in Adnans Lokal verbracht hätte. Um mich herum nichts als ein Meer von kleinen Seelen, hatte er geschrieben, und dass ihm das brennende Elend im Herzen noch lieber war als kalte Erstarrung. Er schimpfte über die satte Tugend und zahlungskräftige Moral der Deutschen, was für ein trefflicher Ausdruck, und als ich las, dass dort, wo man Bücher verbrennt, man am Ende auch Menschen verbrennen wird, schämte ich mich meiner oberflächlichen Gedanken über billiges Heldentum. Aber am meisten gefiel mir ein Satz von ihm, den ich nicht nur unterstrich, sondern gleich die ganze Seite rausriss, um ihn für alle Zeiten, oder zumindest bis zur nächsten Wäsche, in meiner Jeanstasche zu tragen: »Jeder einzelne Mensch ist schon eine Welt«, schrieb Heine, »eine Welt, die mit ihm geboren wird und mit ihm stirbt, unter jedem Grabstein liegt eine Weltgeschichte.« Die Sonne brannte auf meiner Haut, ich schloss die Augen und tauchte ein in den süßen Schmerz, fühlte den Riss, der durch unsere Herzen ging, den großen Weltriss, der die Erde zerteilte und uns immer auf der falschen Seite stehen ließ. Ich hatte einen neuen Freund gefunden, aber er war leider schon ziemlich lange tot.

V

Jeden Abend genau um zwanzig Minuten vor acht schaltet Seyfullah das Radio ein. Zuerst lauscht er der kurzen Melodie, dann den Nachrichten aus der Heimat. Die Stimme des Mannes, der sie verliest, ist ihm in den vergangenen fünf Jahren so vertraut geworden wie die seines Vaters, eine ältere, satte, freundliche Stimme. Sie gibt Trost. Manchmal vergleicht er den Mann mit den deutschen Pfarrern im Fernsehen, die am Sterbebett sitzen und unverständliche Gebete murmeln. Seyfullah hat auch Probleme, alles zu verstehen, was der Mann im Radio erzählt. Der Mann spricht zwar Türkisch, aber so ein Türkisch haben sie bei ihm im Dorf nicht gesprochen. »Ist das wieder dein Zauberer?«, fragt Margret jedes Mal, wenn er am Küchentisch sitzt und der türkischen Sendung zuhört, während sie ihre Klöße zubereitet, die er so gerne isst. Sie nennt den Radiomann »Zauberer«, weil er auf jede Zuhörerfrage eine Antwort weiß.

Auch nach der Geburt von Laila hört Seyfullah nicht auf, jeden Abend seiner Sendung zu lauschen.

Laila. Margret hatte in einem dicken Buch nachgeblättert und gesagt, das sei arabisch und bedeute Nacht. »Das passt gut zu ihr«, hatte sie gesagt, »so schwarz, wie ihre Augen sind. Ist dir wie aus dem Gesicht geschnitten.« Sie ist eine tapfere Frau. Hochschwanger ist sie mit ihm zum Standesamt gegangen, um die Unterschrift unter das Dokument zu setzen, das sie zu Mann und Frau gemacht und ihr Kind vor der Schmach der Unehelichkeit bewahrt hat. »Nein!«, hatte Seyfullah geschrien, als Margret vorgeschlagen hatte, auf die Heirat zu verzichten, vielleicht weil er nicht schon viel früher um ihre Hand angehalten hatte. Stolz ist sie. Das gefällt ihm.

Nach dem Telegramm seines Vaters, das Seyfullah einen Monat nach Lailas Geburt mitten in der Nacht aus dem Schlaf reißt, setzt er sich ins Auto und fährt in drei Tagen ohne Pause nach Hause. Die Worte hallen während der ganzen Fahrt in seinem Kopf: »Komm sofort. Deine Mutter liegt im Sterben.«

Er küsst seine schlafende Mutter auf die Stirn und hört seinem Vater zu, der ihm von ihrer schrecklichen Krankheit erzählt, die erst vor kurzem mit Bauchschmerzen angefangen und dann in Windeseile ihren ganzen Körper gefangen genommen hat. Von der großen, stämmigen Frau ist ein zierlicher, zerbrechlicher Leib übrig geblieben, sie ist völlig ausgetrocknet. »Zu Gott beten«, sagt der Arzt.

»Deine Mutter hat einen letzten Willen, Seyfullah«, sagt sein Vater mit bedächtiger Stimme, »sie will deine Hochzeit noch erleben, bevor sie stirbt. Du bist jetzt schon über sieben Jahre fort, bald wirst du fünfunddreißig. Ein Mann muss eine Familie gründen, Kinder zeugen. Ein Mann ohne Kinder ist ein Brunnen ohne Wasser.« Er spricht so viel, dass Seyfullah die Ohren wehtun. »Wir haben ein gutes Mädchen für dich gefunden«, erzählt er, »gesund, kräftig, fleißig. Lass uns die

Hochzeit feiern, bevor du gehst. Du kannst sie später nachholen, wenn du eine größere Wohnung gefunden hast.«

Seyfullah hat seinem Vater niemals in seinem Leben widersprochen.

Am Vorabend der Hochzeit betrinkt er sich mit den Männern im Dorf so fürchterlich, dass ihm am nächsten Tag jeder einzelne Knochen wehtut. Er tanzt trotzdem mit. Ein Adler auf Höhenflug. Er ist zu Hause und fühlt sich so, als ob er nie weggegangen wäre, alles ist auf seinem Platz und wie es sein sollte, die Sonne geht wie immer hinter den fernen Hügeln unter, die Erde ist durstig und schwarz, die letzte Ernte karg, die nächste ungewiss. Und die Braut ist schön. Pechschwarze Augen, Olivenhaut. Ein Mund wie mit dem Pinsel gezeichnet. Und jung. Sehr jung. Während sie schläft, versucht Seyfullah mit seinem nagelneuen japanischen Taschenrechner auszurechnen, wie viel nach Abzug seiner Kosten für sie im Monat übrig bleiben wird.

Sie weint nicht, als er sich schon nach einer Woche verabschiedet. Er schenkt ihr tausend Mark und seinem Vater den Taschenrechner. Aber als er die kleine Laila auf dem Arm Margrets wieder sieht, weiß er, dass er ihm nie von Margret und Laila wird erzählen können.

Nach fünf Monaten kommt ein Brief von seinem Vater: »Wir haben deine Mutter verloren«, schreibt er, »Gott segne sie. Ich habe auch eine gute Nachricht, mein Sohn. Meryem ist jetzt im fünften Monat. Die Hebamme sagt, noch bevor die Ernte vom Feld ist, wirst du Vater.«

Seyfullah antwortet nicht. Als ob es jemand anderer gewesen ist, der zu Hause geheiratet hat. Wie riecht frisches Heu im September? Wie sieht der Himmel im Herbst aus? Wo hat man meine Mutter begraben?

Weitere Briefe kommen, fein säuberlich auf weiße Blätter geschrieben, offensichtlich einem der Schulkinder aus dem Dorf diktiert. »Es ist ein Junge!«, liest er schon im ersten Absatz, den Rest will er gar nicht mehr wissen.

Am nächsten Tag, als Margret das Kind ins Bett bringt, ruft er den Zauberer an. »Beyim«, sagt er, »ich habe eine Frage. Wenn wir hier heiraten, weiß das auch unser Staat?« Der Zauberer antwortet: »Nein. Gehen Sie mit Ihrer Heiratsurkunde in das nächste Konsulat und lassen Sie in Ihren Pass eintragen, dass Sie verheiratet sind. Sonst ist Ihre Ehe in der Türkei ungültig, und umgekehrt auch.« Seyfullah liebt den Zauberer.

Er geht am nächsten Morgen in ein Reisebüro und kauft sich eine Flugkarte. Dann geht er zum Meister und nimmt zwei Wochen Heimaturlaub. Der Junge wird auf den Namen Adnan getauft. »Warte noch ein bisschen«, sagt er zu Meryem, »bald kommt ihr auch mit nach Deutschland. Es ist ein bisschen kalt jetzt.«

Was mich an Berlin stört, kann ich nicht genau sagen, aber es ist gewiss nicht nur die extreme Kälte im Winter oder der graue Novemberhimmel, der manchen in dieser Stadt jedes Jahr in tiefe Depressionen treibt, als ob die schwarzen Löcher des Universums uns regelmäßig einmal im Jahr einen Besuch abstatten würden. Es ist etwas viel Ernsteres, Wichtigeres, etwas, was mir einfach keine Ruhe lässt, undefinierbar, aber ständig in der Luft. Wenn ich länger weg bin, dann fehlt mir diese Stadt so sehr, dass ich die Tage zähle, bis ich wieder über den Ku'damm laufen oder im *Diwan* Freunde treffen kann. Sogar die Kälte vermisse ich dann. Aber wenn ich da bin, drehen sich unsere Gespräche inzwischen immer um das eine Thema: Mann, was für eine provinzielle Stadt ist das!

An diesem Sonntag zum Beispiel schaue ich im Schlafanzug aus dem Fenster und sehe die Leute in der Bäckerei gegenüber Schlange stehen. Warum? Weil der Laden nur bis mittags aufhat. Also muss jeder seinen Kuchen, den er jeden verdammten Sonntag immer um dieselbe Zeit am Nachmittag verschlingen muss, bis zur Mittagszeit holen gehen. Ich mag diese dicken Sahnetorten nicht, wenn ich auch nur einen Bissen runterwürge, dreht sich mir der Magen um. Umso unverständlicher ist mir der Glanz in den Augen der Menschenmassen, wenn sie am Sonntagnachmittag im *Kranzler* am Fenster sitzen und ein dickes Stück mit Extraportion Sahne verschlingen dürfen. Vielleicht ist es nicht der Kuchen selbst, sondern nur dieser Blick, der mich stört. Kenan sagt, sie haben immer noch die Kartoffeln aus dem Weltkrieg in Erinnerung, was sie sich heute noch an jedem Stück Kuchen erfreuen lässt. Ich begreife trotzdem nicht, wie man sich in einem halben Jahrhundert nicht an Kuchen satt essen konnte.

Sonntags holt Adnan immer meine Mutter ab. Sie verbringt den Tag bei ihm, und seit einem Jahr hat sie genug zu tun mit ihrem Enkelkind, das sie betreuen muss. Diese Sonntagsbesuche begannen damals, als mein Vater im Krankenhaus lag und sie vor den Nachbarinnen floh, die unsere Wohnung vor allem an den Wochenenden belagerten. Vielleicht wollte sie damit aber auch nur die Wohnung für mich freimachen, denn sie hatte inzwischen Angst bekommen, dass die Ereignisse meine Chancen auf das Abitur zunichte machen würden.

An jenem Sonntag vor vier Jahren war mir aber nicht mehr danach, fürs Mündliche zu lernen. Ich trank Tee und studierte wie immer stundenlang die *Yeni Vatan*, die nun lange Kommentare von türkischen Vereinsvertretern abgedruckt hatte, die Kenan abfällig Hofkanacken nannte. Einer hatte ungewöhnlich scharfe Worte gefunden: Er sprach von Rassismus und Unterdrückung, von Ungerechtigkeit und Mordversuch, das Ganze endete mit dem Aufruf zu einer großen Demo, die demnächst in Köln stattfinden sollte. Das Motto war »Jetzt reicht's!«, die Teilnehmer wurden vorab zu »besonnenem Verhalten« aufgefordert. Das Bahnhofsbild von meinem Vater durfte auf der ersten Seite natürlich nicht fehlen.

In einem linken Blatt, das ich ausnahmsweise mitgenommen hatte, waren viel schärfere Töne zu lesen. Eine Gruppe »12. September«, die ihren Namen vom letzten Militärputsch in der Türkei hernahm, rief alle zu Solidaritätsaktionen mit Seyfullah Gülen auf. Sie kritisierten die Landsleute, weil sie ihr Geld immer noch auf deutschen Banken deponierten, immer noch bei Aldi und Spar einkauften und nicht in einen grenzenlosen Streik getreten waren. Man erinnerte an einen Generalstreik der Türken in den Fordwerken in den 70er Jahren und beklagte die heutige Konformität und Teilnahmslosigkeit der Leute. »Jeder denkt nur noch an sich selbst«, hatte ein türkischer Gewerkschaftssprecher gesagt. Das schien mir absurd. Denn diese Menschen waren doch nur nach Deutschland gekommen, weil sie eben nur an sich gedacht hatten. Dieses ganze Gerede meines Vaters, er hätte alles nur für uns getan, das konnte ich einfach nicht mehr hören. Wären sie nicht so tollkühne Einzelgänger gewesen, hätten sie sich doch nicht so mutig in eine ungewisse Zukunft gestürzt. Ich glaubte nicht daran, dass sie sich aufraffen würden, im Namen der Solidarität Opfer zu bringen.

Während ich frühstückte, ging mir die Kiste im Keller nicht aus dem Kopf. Ich zog mich an, füllte den restlichen Tee in eine Thermoskanne, steckte Zigaretten und einen Aschenbecher in die Tasche des Jogginganzugs, schnappte mir den Werkzeugkasten meines Vaters und ging in den Keller hinunter. Zu meiner Überraschung war ich jedoch nicht allein. Der Lehrer aus dem dritten Stock war mit seinen kleinen Söhnen dabei, seinen Keller auszumisten.

»Hallo, Ömer«, sagte er, als er mich die Treppe herunterkommen sah. Ich hatte das Gefühl, dass mein Anblick ihn verstörte. »Wir wollten natürlich schon mal bei euch vorbeischauen, aber du weißt ja, die Arbeit.« Ich wusste nicht, dass Lehrer Tag und Nacht arbeiteten, aber ich hielt den Mund und lächelte ihn verständnisvoll an. »Macht doch nichts.«

»Wie geht's deinem Vater jetzt?«, fragte er. »Ist ja schrecklich, was ihm passiert ist. So ein Unglück. Ich hab's auch heute dem Reporter gesagt, dein Vater ist uns immer sympathisch gewesen, immer sehr hilfsbereit. Weißt du noch, wie er im letzten Winter mein Auto reparierte, als es nicht ansprang? Das habe ich immer noch nicht vergessen.«

»Danke«, sagte ich verlegen. Das war wieder typisch. Die Deutschen schaffen es immer, dass man sich bei ihnen bedankt, auch dann, wenn sie es sind, denen man einen Dienst erwiesen hat. Das ist egal. Sie verdrehen die Situation so meisterhaft, dass man sich am Ende bei ihnen bedanken muss. Umgekehrt fühlt man sich verpflichtet, sich bei ihnen zu entschuldigen, auch wenn sie im Unrecht sind. Dies macht einen großen Teil ihres Geheimnisses aus, das ich nicht begreifen kann.

Der Lehrer ließ mich in Ruhe, sodass ich am anderen Ende des langen Ganges in unseren Keller ging und erst einmal die Sachen verstaute, die ich mitgebracht hatte. Ich schenkte mir eine Tasse Tee ein und ließ ihn auf dem Holzschemel meines Vaters stehen, um mich gleich mit einem Schraubenzieher an die Arbeit zu machen. Ich konnte die Kiste nicht weiter von ihrem Platz rücken, das war mir von vornherein klar. Also setzte ich mich davor und spielte mindestens zehn Minuten lang mit dem Schloss, umsonst. Das Ding war wie verhext. Gerade als ich es aufgeben wollte, fiel mir die kurze Eisenstange im Werkzeugkasten ein, mit der mein Vater mal die Schublade des Dielenschranks aufbekommen hatte, freilich auf Kosten des Schlosses, aber ich war so versessen darauf, die Kiste zu öffnen, dass es mir egal war. Ich steckte die Spitze der Eisenstange in die kleine Öffnung, legte mein

Knie darunter und presste mit ganzer Kraft dagegen. Das Schloss brach mit einem großen Krach auf.

Als ich den Inhalt sah, wunderte es mich nicht mehr, dass die Kiste nicht vom Fleck zu bewegen war. Sie war bis oben hin mit Papier voll gestopft. Große und kleine vergilbte Umschläge, Fotoalben, alte Zeitungen, ein paar Bücher waren, was mir als Erstes ins Auge fiel. Daneben lagen ein paar Babysocken, meine oder Adnans, eine alte Brille, ein Stoffsäckchen mit schwarzen Körnern und getrockneten Blättern, ein besticktes Taschentuch und allerhand mehr. Ich trank Tee, rauchte und überlegte, warum mein Vater diese Dinge in der Kiste verstaut und auch noch zugeschlossen hatte. Gab es einen Zusammenhang zwischen dem Inhalt und seinen stundenlangen, einsamen Sessions im Keller? Zweifellos war ich gewaltsam in seine Intimsphäre eingedrungen, wie Kenan es ausgedrückt hätte. Aber ich fühlte mich überhaupt nicht schuldig.

Zuerst sortierte ich die Gegenstände aus und stapelte sie auf einer alten Zeitung, die ich neben der Kiste auf dem Boden ausgebreitet hatte. Zurück blieb das Papier. Ich nahm einen großen gelben Umschlag in die Hand und da er nicht zugeklebt war, schüttete ich den Inhalt auf meinen Schoß. Alte Flugkarten, von Hamburg nach Istanbul, von Berlin nach Istanbul, er hatte sie alle aufgehoben, es mussten an die dreißig Tickets sein. Als ich sie weglegen wollte, fielen mir zwei wegen ihrer ungewöhnlichen Farben auf. Sie stammten von der polnischen Fluggesellschaft und wiesen eine Reise von Istanbul nach Warschau aus, und zwar nur hin. Sie waren auf die Namen meiner Eltern ausgestellt: S. Gülen und M. Gülen. In einer der beiden fand ich eine Postkarte. Sie war aus einer polnischen Stadt namens Słupsk. Jemand hatte diesen gedruckten Namen durchgestrichen und daneben in geschwungenen Lettern Stolp geschrieben. Verschiedene Ansichten der Stadt waren in Form eines japanischen Fächers um ein Bild der Jungfrau Maria angeordnet: eine Kirche, ein Marktplatz, ein altes Stadttor, das Meer und eine Familie am Picknicktisch im Wald. Sie war frankiert, aber nicht beschrieben und abgeschickt worden. Das war mehr als nur merkwürdig, denn die Tickets belegten, dass meine Eltern vor zwei Jahren im Juli eine Reise nach Polen gemacht hatten, aber in jenem Sommer war mein Vater allein in die Türkei geflogen, genauso wie auch letztes Jahr. M. Gülen war aber meine Mutter, Meryem, sie war den ganzen Sommer über mit mir in Berlin zusammen gewesen.

Ein anderer großer Umschlag war gefüllt mit Briefen aus der Türkei. Ich öffnete den ersten und las, was mein Großvater vor fünfundzwanzig Jahren geschrieben hatte. Er schrieb von meiner Mutter und ihrer Schwangerschaft, erzählte von der letzten Ernte und davon, was die Leute im Dorf taten. Andere Briefe waren nicht einfallsreicher, sie begannen mit Grüßen und Fragen und endeten mit guten Wünschen. Nachdem ich drei oder vier gelesen hatte, legte ich sie zur Seite. Neben Flugkarten und Briefen hatte mein Vater alles aufgehoben: Seine Arbeitserlaubnisse, seine Heimpapiere aus Hamburg, Versicherungspolicen,

Steuererklärungen, Mietverträge, Bahnkarten, sogar ein paar Operntickets aus den 70ern waren dabei, ich wusste nicht, dass er in die Oper ging, oder vielmehr gegangen war. Vielleicht hat er sie von jemand anderem bekommen und als Kuriosität aufgehoben, dachte ich. Neben amtlichen Papieren waren drei Ordner voll mit Gebrauchsanweisungen und Garantiescheinen: Waschmaschine, Kühlschrank, mehrere Fernseher, Videorekorder, Stereoanlage, sogar Eierkocher und Toaster waren sorgfältig dokumentiert, die Anleitungen mit türkischen Notizen versehen, ich erkannte Adnans unleserliche Handschrift neben den Pfeilen, die auf verschiedene Geräteteile deuteten: »Achtung! Nicht öffnen, solange das Gerät noch am Netz ist!« Mein Vater hatte jeden Garantieschein korrekt abstempeln lassen und zusammen mit der Quittung in Klarsichtfolien gesteckt, auch von Geräten, die er inzwischen weggeworfen haben musste, denn meines Wissens hatten wir nie einen Deckenventilator oder eine Heizdecke besessen, es wunderte mich überhaupt sehr, dass mein sparsamer Vater sein hart verdientes Geld für solche überflüssigen Sachen ausgegeben hatte. Meine Verwunderung wuchs, als ich bemerkte, dass die Quittung vom Ventilator das Datum des vorigen August trug.

Ein anderer Ordner war gefüllt mit Urkunden: Kaufvertrag seines kleinen Sommerhauses in Halikarnassos an der Ägäisküste, das seit Jahren leer stand, die Grundstückspapiere für zwei Äcker im Dorf, handschriftlich verfasst und vom Bürgermeister höchstselbst unterzeichnet, der Grundbuchauszug der Wohnung in Istanbul, die er mit meinem Onkel zusammen erstanden hatte und wo sie ihn in den Tagen, die er in Istanbul verbrachte, übernachten ließen, natürlich nicht ohne Ärger. Auch sie steckten einzeln in Folien, sorgsam in einen dicken Leitz-Ordner eingeheftet, dazu noch Steuerbelege, Quittungen vom türkischen Finanzamt und jede Menge andere Dokumente.

Plötzlich packte mich die Wut. Ich stand auf und schmiss dabei alles von meinem Schoß auf den Boden. In dieser Kiste hatte mein Vater nichts anderes als sein armseliges Leben versteckt, alles, wofür er bisher gelebt hatte, ein Leben, das sich in einem Dreieck aus Fabrik, Kaffeehaus und Zuhause abspielte, alles nur Papier, nichts als Papier. Sein Leben, auf das er so stolz war, bestand doch nur aus Garantiescheinen und Gebrauchsanweisungen, Grundbuchauszügen und Steuerbelegen. Das war es, womit er seine Stunden hier verbrachte, womit er jede einzelne Stunde seines ganzen Lebens verbrachte, wofür er gelebt hatte, der Preis der Stunden, Tage und Jahre, in denen er nicht bei mir gewesen war. Dieser Papierhaufen war nichts anderes als unsere Vergangenheit – ein ganzes Leben, seine besten, meine schönsten Jahre. Wann hatte er je mit mir als Kind gespielt? War er nicht immer auf dem Sofa eingeschlafen, wenn er von der Arbeit nach Hause kam? Wenn er überhaupt nach Hause kam. Und davor? Warum mussten wir unsere Kindheit ohne ihn in einem gottverlassenen Dorf verbringen, mit einer Mutter, die sich sogar vor ihrem eigenen Schatten fürchtete und die sich bei ihren Schwiegereltern immer wie ein Dienstmädchen gefühlt hat, wie sie mir später einmal gestand. War dieser Haufen

Papier es wert? Wog er schwerer als all die Jahre, die wir nie mehr zurückholen konnten, nie mehr zusammen lachen, spielen, ausgehen, was nutzte ihm dieser Papierberg jetzt, wo er bewusstlos im Krankenhaus lag mit der großen Wahrscheinlichkeit, nie wieder aufzuwachen, und wenn doch, sich vielleicht nicht einmal an seinen eigenen Namen erinnern zu können, was nutzten all diese sorgfältig aufgehobenen Belege seines Lebens, diese Hamsterei, brachten sie die Jahre zurück, die wir hätten zusammen verleben können wie jede andere normale Familie? Warum hatte er es nicht besser gewusst, weshalb hatte er es nicht anders gemacht? Ich weiß nicht, ob ich aus Wut oder Trauer weinte, als ich den Deckel der Kiste mit einem Fußtritt schloss und mit den Fotoalben unter dem Arm wieder hinauf in die Wohnung ging.

Großvater auf dem Feld. Vater im blauen Schulkittel mit Büchern unter dem Arm vor einem heruntergekommenen Dorfgebäude, das als Grundschule gedient haben musste, vielleicht war das auch ihr damaliges Haus gewesen. Großmutter, wie sie sich vor der Kamera versteckt. Ein Onkel mit seiner Familie, die Söhne vorne, die Töchter hinten, Mutter fehlt. Vater im Wohnheim. An der Wand ein Teppich aus Arabien und ein Werkskalender mit hässlichen Maschinenbildern. Vater an der Alster, Segelboote im Hintergrund, ein runder Bau, wohl ein Café, ein schickes Paar kommt gerade aus der Tür heraus und schaut zu meinem Vater hinüber. Kein Wunder, denn er trägt ein grässlich buntes Hemd mit meterlangem Kragen, der wie die Ohrläppchen eines Elefanten seine Schultern bedeckt und trotzdem nicht das grelle Muster seiner Krawatte zu übertrumpfen vermag. Vater mit einem Cowboyhut am Ku'damm, Gedächtniskirche im Hintergrund, noch keine Spur von Mövenpick. Vater mit anderen Männern an einem Seeufer, dahinter ein paar mit Bleistift hingekritzelte, fast verwischte Zeilen: »23.8.1971, Wannsee/Berlin. Mehmet, Ali, Seyfi.« Warum auf Deutsch? Seyfi. Wer nannte meinen Vater Seyfi? Ich hatte noch nie im Leben einen seiner Freunde ihn Seyfi nennen hören. Und diese Schrift – identisch mit der auf der Postkarte.

Das zweite Album war voll mit Fotos von uns, sie waren in größeren Abständen gemacht worden, immer in seinem Sommerurlaub. Ich kannte sie alle auswendig. Auf einigen war auch meine Mutter zu sehen, eine schöne, junge Frau, immer einen traurigen Blick in den Augen. Hätte ich sie nur einmal herzhaft lachen sehen, einmal laut und fröhlich sprechen hören, dann würde ich mich nicht so schuldig fühlen. Meine Freiheit schien von ihrem Lachen abzuhängen. Die Fotos brachten mich auf die seltsamsten Gedanken.

Das letzte Album schließlich enthielt zu meiner Überraschung gar nichts. Ich schlug irgendeine Seite auf und begann gedankenverloren mit den Klapptäschchen zu spielen, indem ich sie hin- und herkippte. Da sah ich es: Das Album war doch nicht leer, die Rückseiten waren voll mit Farbbildern. Ich schlug die erste Seite auf und begann die Fotos einzeln zu studieren. Das erste zeigte eine Frau auf einem Sofa neben einem großen, dunkelbraunen Wandschrank, sie war eindeutig eine Deutsche: blond, etwas pummelig, hübsches Gesicht. Sie rauchte. Auf dem Couchtisch standen zwei Gläser Bier, halb ausgetrunken. Auf allen Fotos war nur sie zu sehen, und zwar nicht nur in Berlin, sondern auch in Hamburg, ich erkannte die Alster und dasselbe runde Café. Auf einem Bild war sie in Begleitung derselben Männer zu sehen, die auch am Wannsee neben meinem Vater posiert hatten. Deswegen nahm ich an, dass sie die Frau eines der Freunde meines Vaters war, wahrscheinlich gehörten die Bilder, das ganze Album diesem Freund, der in die Türkei zurückgekehrt war und seine Fotos bei meinem Vater vergessen hatte. Auf einem letzten Bild lächelte sie mit einem kleinen Kind auf dem Schoß in die Kamera, ein dunkelhaariges, sehr hübsches Mädchen, es trug ein kurzes blaues Rüschenkleid und hielt eine Barbie-Puppe auf dem Arm.

Was von dieser Expedition in den Keller blieb, waren nur Fragezeichen: Was hatte mein Vater in Polen gemacht? Mit wem war er von Istanbul nach Warschau geflogen? Wen hatte er statt meiner Mutter mitgenommen? Wo lag dieses Stulpsk oder Stolp eigentlich? Ich studierte noch einmal das Foto vom Wannsee, auf dem er mit seinen Freunden zu sehen war. Mehmet und Ali. Ich dachte angestrengt darüber nach, ob ich diese beiden Gesichter je gesehen hatte, nein, ich konnte mich nicht an sie erinnern. Sie waren nie bei uns gewesen, jedenfalls nicht, wenn ich auch da war. Wenn ich diese beiden Freunde meines Vaters finde, dann kann ich vielleicht etwas mehr über ihn erfahren, dachte ich, während ich langsam in den Schlaf glitt.

VI

Man sagt nicht, dem *Lehrer fragen, sondern* den *Lehrer, Herr Gülen, das nennen wir den Akkusativ. Auf Wiedersehen sagt man, wenn man sich von jemandem verabschiedet, Sie verwechseln das ständig mit dem türkischen Affedersin. Jedes Mal, wenn Sie sich bei mir entschuldigen wollen, verabschieden Sie sich, das sollten Sie jetzt nach drei Wochen wirklich gelernt haben.*

Auf Wiedersin, Herr Lehrer.

Mit vierzig lernt man keine fremde Sprache mehr. Dieses Deutsch. Man schreibt Messer, gelesen wird es Gabel, bedeuten tut es Krug. Und jeder gottverdammte deutsche Krug hat einen Henkel, den sie Artikel nennen. Wie soll man das alles nur im Kopf behalten?

Die große Schraube in das rechte Loch, die kleine in das linke, den Metallbolzen in die Mitte stecken und kräftig drehen. Akkusativ ist, wenn man den Lehrer fragt, Dativ nimmt man, wenn man dem Lehrer etwas gibt. Der Lehrer schreibt den Satz an die Tafel und ich kann ihn nie behalten. Ich bin dumm, Margret, nichts als ein dummer Bauer. Warum willst du unbedingt, dass ich deine Sprache so perfekt spreche wie ein gebürtiger Deutscher? Hättest du doch gleich einen Hans geheiratet. Laila spricht es besser als ich, also was willst du noch? Warum quälst du mich? Ich fühle mich alt und müde. Sehr müde.

Du weißt es nicht, Adnan kann auch schon sprechen. Das letzte Mal, als ich zu Hause war, nahm ich meine beiden Söhne mit zur Jagd. Das hat ihnen Spaß gemacht! Und mir erst.

Was mache ich, wenn sie auch hier sind? Im Tiergarten kann man nicht jagen gehen, Gott weiß. Im Grunewald eher, aber es wird bestimmt einen verrückten Deutschen geben, der uns anzeigt, da hast du dann den Ärger. Das verboten, dies verboten. Das Leben ist in der Türkei, sagt Ali, hier ist nur die Arbeit. Hier ist man kein Mensch, sondern nur ein Roboter. Eines Tages werden sie richtige Roboter machen, die Schrauben drehen und Bolzen stecken können, dann werden sie uns nicht mehr brauchen. Die Roboter werden uns ersetzen, sagt Ali. Ich sage: Nein, wir sind es, die die Roboter von morgen ersetzen.

Auf Wiedersehen, Margret, ich bin wohl kein guter Mann. Affedersin.

Eine Woche nach seiner Einlieferung in das Krankenhaus erlaubten sie meiner Mutter und mir am Montagnachmittag zum ersten Mal gemeinsam und etwas länger zu meinem Vater hineinzugehen. Wir schauten schweigend die Apparate an, die immer noch geduldig die Lebenszeichen registrierten, die er tief aus seinem Innern sendete, mit unseren menschlichen Sinnen nicht wahrnehmbar. Nachdem die Krankenschwester uns im Zimmer allein ließ, sank meine Mutter auf einen Stuhl am Fenster, ließ ihren kleinen Kopf auf eine Schulter fallen und wischte sich mit einem Taschentuch die stillen Tränen ab, während ich wie angenagelt mitten im Raum stand und meine Augen nicht von dem blassen Gesicht meines Vaters abwenden konnte – in diesem Moment vergaß ich alles. Vater, sag doch selbst, was passiert ist, wer hat dir das angetan und warum. Vater, ich weiß, dass du fühlst, dass wir da sind. Vater, du lebst. Ich versuchte mir vorzustellen, wie er die Augen öffnete, fügsam die bunten Pillen schluckte, die eine Krankenschwester auf einem kleinen Tablett reichte, ich bündelte meine ganze Vorstellungskraft, um ihn von diesem verdammten Bett aufstehen zu sehen, wieder zu Hause, mit seinem geliebten Schnaps in der Hand. Ja, Vater, ich weiß, dass du stolz auf mich bist, ich bin ja auch stolz auf dich. Es geht uns gut, ja wirklich, wir warten auf dich, du wirst wieder gesund und dann werden wir auf die Jagd gehen, in deinen geliebten Wäldern, die du so vermisst. Dort, wo jeder Baum anders wächst, wo die Stämme dick und die Äste so merkwürdig verschlungen sind, als ob der ganze Wald aus Gewächsen bestünde, die miteinander sprechen, sich streiten, versöhnen, umarmen, lieben und nicht so kahl und kerzengerade zum Himmel wachsen wie hier, du hast schon Recht. Dort, in der Heimat der Sonne, wo auch der liebe Gott wohnt, wie du immer sagst. Ja, du hast Recht, in einem Land, das von der Sonne vergessen wurde, begegnet man auch Gott nicht. Nur kalten Mauern aus Stein, die in seinem Namen errichtet worden sind, in denen er aber nicht mehr wohnt. Gott liebt wie wir die Sonne und die Fröhlichkeit, sagst du immer. Stimmt, was hat er in dunklen Hinterhöfen verloren? Warum sollte er sich mit Kerzenschein begnügen, wenn er sich am blauen Meer in die strahlende Sonne legen kann? Eine Wolke, sagst du doch immer, eine kleine Wolke, hinter der er sich verstecken kann, findet er auch im blauesten Himmel, aber dort, wo der Himmel nur von Wolken beherrscht wird, sucht man vergeblich nach ihm …

Ich wusste nie, was uns verbindet. Ich weiß es immer noch nicht genau. Aber damals im Krankenhaus fühlte ich, dass es etwas sehr Starkes ist … Ich fühle mich einsam, Vater, ich bin noch nicht bereit so einsam zu sein … Ich bin vielleicht nicht so stark wie du. Ich war es nie … Gibt es eine Formel, mit der man stark werden kann? Ein richtiger Mann. Wie bist du es geworden? Was hat dich zu einem Mann gemacht, der zu seiner Verantwortung steht, der das Richtige im Leben tut, ohne viel darüber nachzudenken, ein Mann, der das Leben so akzeptiert, wie es ist, und der durch mutige Entscheidungen nicht nur sein eigenes Schicksal in die Hand nimmt, sondern auch für die anderen sorgt? Hast du das von deinem Gott gelernt, dem du an deinen sonnigen Hängen hinter der kleinen Wolke begegnet bist, hat er dich an die Hand genommen und dir das Richtige ins Ohr geflüstert, im rechten Moment, und warum hat er dich jetzt im Stich gelassen? Ich fühle, Vater, dass da etwas ist, was du verstanden hast und ich nicht. Ich sehe nur den Schein, ich weiß. Und ich fühle, dass das in keinem Buch steht, mit keinem Diplom zu erwerben ist, es ist etwas, das sich nicht durch Worte ausdrückt, etwas, das den ganzen Sinn dieses verdammten Lebens ausmacht, etwas, das man einfach begreift, ohne es selbst zu merken. Etwas, wovon die Lieder erzählen, die du so gerne hörst und die ich nicht ausstehen kann, es steckt vielleicht in deinem Schnapsglas, ist auf die Würfel deines abgegriffenen Spielbrettes geschnitzt, unsichtbar für meine Augen, ich wünschte, du könntest es mir jetzt sagen, denn ich brauche es verdammt dringend.

Aber er sagte gar nichts. Ich brachte meine Mutter nach Hause, wo sie gleich von einer Nachbarin hereingebeten wurde. Sie nahm die Einladung dankbar an, ich war ebenfalls froh, dass sie jetzt, nach den letzten schrecklichen Stunden, nicht mit ihrem Kummer allein blieb.

Als ich schließlich zum *Diwan* radelte, um mich mit den anderen zu treffen, war ich wie erschlagen. Ich konnte mich nicht entscheiden, ob ich ihnen von der Kiste, den Flugkarten, Fotos und vor allem auch davon berichten sollte, was dieser Lokalreporter mir erzählt hatte. Ich ordnete ihn in die Kategorie der gefährlichsten Typen ein: Jemand, der, aus welchem Grund auch immer, in seinem gesamten Leben den Vogel nicht hatte abschießen können, geschuftet wie ein Irrer, aber immer noch ganz unten. Vielleicht hatte er einen jungen Chef vorgesetzt bekommen, dem er es nun zeigen wollte, vielleicht war er verbittert über seine Frau, die ihn verlassen hat, ich wusste es nicht. Aber ich fühlte, dass er alles tun würde, nur um seinen Namen auf die erste Seite zu bringen, dafür würde er über Leichen gehen. Kommissar Löbel hatte eine ähnliche Verbitterung im Gesicht, aber beide schienen völlig entgegengesetzte Schlüsse daraus gezogen zu haben. Während Löbel bescheiden auftrat und eher wie ein Mann wirkte, der einen Schiffbrüchigen sogar unter Einsatz seines eigenen wertlosen Lebens rettet, würde der andere seine Kamera zücken, um besonders gute Fotos vom Kentern des Schiffes zu schießen. Deshalb musste ich vor Wenzel auf der Hut sein. Er hatte in der aktuellen Ausgabe seine alten Fragen wiederholt, diesmal war er sogar einen Schritt weiter gegangen und hatte seinen Artikel mit dem Hinweis auf »brandneue Erkenntnisse« beendet, die am nächsten Tag folgen sollten. *Extra* hatte inzwischen, wie auch *Yeni Vatan,* einen ständigen Kasten eingeführt, worin das Neueste über den Fall kundgegeben wurde. In der *Yeni Vatan* war das Gesicht meines Vaters aus dem Bahnhofsbild von einem Illustrator nachgezeichnet worden, ein roter Pfeil in Form eines Blitzes verlief durch seine Stirn, wo er endete stand: »Seyfettin Gülen – Das Neueste«. Ich fragte mich, warum sie die ganze Zeit keinen Kontakt zu mir aufgenommen hatten, aber als ich die Seite studierte, verstand ich den Grund: Adnan lächelte mir in seiner langen weißen Schürze und besten Adriano-Manier vor der Fassade seines Restaurants entgegen. Darunter wie immer eine erstaunliche Bildunterzeile: »Adnan Gülen, ältester Sohn Seyfullahs, vor seinem Lokal in Berlin-Charlottenburg – Der erfolgreiche junge Geschäftsmann wird nicht aufgeben.«

Mein Bruder hatte den Reportern alles erzählt, was sie hören wollten: Unsere Familiengeschichte in Form einer Erfolgsstory nach amerikanischem Vorbild, wenn nicht der Tellerwäscher selbst, so klettert doch der Sohn auf der gesellschaftlichen Leiter in Windeseile empor, um der ganzen Welt zu beweisen, dass auch ein Türke *Master of the Universe* werden konnte. »Die Deutschen sind auf uns neidisch, sie wollen, dass wir ewig die Neger Europas bleiben.« Adnan erzählte in epischer Breite von seinem Erfolgsrezept: »Man muss halt 'ne Idee haben und den Mut sie durchzusetzen. Ich fragte mich, warum die Italiener so beliebt sind. Dahinter steckt nicht nur ein guter Koch, sondern auch das richtige Gespür. Die Deutschen fühlen sich bei uns wohl, denn wir präsentieren ihnen neben gutem Essen auch das südliche Temperament.« Was du nicht sagst, Adriano. »Wer in seinem Lokal ein Gesicht zur Schau trägt, als ob er gerade von der Bestattung seines engsten Verwandten käme, darf sich natürlich nicht wundern, wenn die Kundschaft ausbleibt.« Ich fand das Beispiel ziemlich geschmacklos. Wenn es stimmte, was in der Zeitung stand, wollte mein geliebter Bruder bei der Demo in Köln ganz vorne mitmarschieren, »damit die deutschen Verantwortlichen endlich ihre Augen öffnen und etwas gegen den Rassismus unternehmen«. Wenn er da hinfuhr, dann nicht ohne mich, das war klar.

Das Kästchen in der *Extra* enthielt kein Foto, auch keinen roten Blitz, aber ich empfand es als weitaus dramatischer. Es war völlig schwarz. In der Mitte des Kästchens stand in blutroten Lettern: »Gastarbeiter: Unfall oder Anschlag?«

Ich ging davon aus, dass zumindest Kenan und Murat beide Zeitungen gesehen hatten und somit auch von den

Anschuldigungen des *Extra*-Reporters wussten. Ich entschied mich, nicht darüber zu diskutieren. Wir sollten lieber einen neuen Plan machen, zum Beispiel galt es nun zwei Lokale aufzusuchen, das *Irmak* am Kottbusser Tor und die *Fliege* an der Oberbaumbrücke. Vielleicht konnten wir uns in zwei Gruppen aufteilen und beides an einem Abend erledigen. Montag war ein sehr guter Tag dafür, denn die Leute rannten nach einem öden Sonntag sofort wieder in die Kneipen, um ihre Langeweile und ihren Frust hinunterzuspülen.

Ich war ganz überrascht, als ich im *Diwan* eine große Runde antraf. Neben Murat, Kenan und Hucky waren auch Raschid und einige seiner Freunde gekommen sowie zwei andere aus der Kollegstufe, Christian und Markus. Ich stellte meine Tasche neben den Tisch und holte mir einen Stuhl. Erst dachte ich, dass sie ihre Unterhaltung unterbrochen hatten, weil ich gekommen war, aber ich begriff ziemlich schnell, dass hier etwas im Gange war. Sie schwiegen alle betroffen und starrten auf die Tischplatte.

»Fragen wir doch Ömer«, sagte Markus. »Murat ist der Meinung, dass Hucky, Christian und ich eurem Verein nicht beitreten können«, sagte er. »Ich finde das ungerecht. Nach dem, was deinem Vater passiert ist, wollen wir auch dabei sein und etwas tun.«

»Wir haben gerade darüber abgestimmt, die Mehrheit ist dagegen«, ereiferte sich Murat, »fünf gegen einen. Damit ist der Fall erledigt. Ich finde, ihr solltet langsam verschwinden.«

Ich sah zu Kenan hinüber. Er hatte vor Aufregung und Ärger ganz rote Backen bekommen, sein Haar war völlig zerzaust, als ob er sich gerade mit jemandem geprügelt hätte, aber ich wusste inzwischen, dass er jedes Mal so aussah, wenn er sich heftig mit jemandem stritt. Er hatte dann immer eine große Ähnlichkeit mit James Dean und erinnerte mich an die Szene aus *Jenseits von Eden,* wo er mit der Freundin seines Bruders auf der Wiese liegt und sie mit einer Blume über sein Gesicht streicht. Kenan hatte dieselben sanften Züge, den gleichen traurigen, tiefen Blick, den ich so liebte. Es war mir sofort klar, dass er als Einziger für die beiden gestimmt hatte.

»Warum sollen sie nicht auch dabei sein?«, fragte ich. Ich sah das inzwischen nicht mehr so eng wie damals, als wir den Bund der Geächteten auferstehen ließen. Und Hucky war ja auch schon mit dabei gewesen, als wir uns den Skin geschnappt hatten.

Murat zog eine Grimasse und schwieg sich aus. Bis Selma die Getränke austeilte und die leeren Gläser mitnahm, sprach keiner.

»Ganz einfach. Weil sie Deutsche sind«, sagte Raschid.

»Also dürft ihr dabei sein und wir nicht«, sagte Christian, »findet ihr das richtig? Ihr schimpft selbst andauernd darüber, dass man euch nicht in die Discos am Ku'damm lässt, nur weil ihr nicht als Deutsche zählt, dann schließt ihr euch für 'ne gute Sache zusammen und diesmal werden wir ausgeschlossen! So was nennt man Doppelmoral.«

Christians Eltern arbeiteten beide an der Universität.

Wenn ich mich nicht irrte, war sein Vater vor kurzem sogar Chef des Fachbereichs Mathematik geworden, ein großer, schlaksiger Mann mit zentimeterdicken Brillengläsern, der angeblich schon als Vierjähriger lesen und schreiben konnte, mit sieben komplizierte Gleichungen mit zwei Unbekannten löste und mit dreißig zum Professor ernannt wurde, kurzum, kein einfacher Vater. Ich hatte sie kennen gelernt, sie wohnten in einer schicken Villenetage in der Nähe des Lietzenburger Sees, mit Garten, Ökoteich und allem. Christian hatte mich öfter zu sich eingeladen, aber ich hatte Hemmungen ihn mit nach Hause zu nehmen, vor allem abends, wenn mein Vater auch da war. Es war mir einfach peinlich, ich glaube, der Gegensatz zwischen seinem Elternhaus und meinem erschien mir damals unüberbrückbar, es war ein Unterschied wie zwischen der Erde und einer entfernten, ganz entfernten Galaxie. Nicht einmal Mr. Spock wäre in der Lage gewesen Ähnlichkeiten zwischen beiden zu entdecken.

Es wunderte mich nicht, dass der Fall meines Vaters Christian sehr mitnahm, er war immer ehrlich zu mir gewesen, ehrlich, zuverlässig, ein guter Freund, der einen nie im Stich ließ. Trotzdem war das jetzt unsere Angelegenheit, es hatten sich plötzlich zwei Fronten gebildet, und sie standen naturgemäß auf der anderen Seite, auch wenn sie es selbst nicht wahrhaben wollten.

»Ich glaube, es geht nicht«, sagte ich, ohne Kenan und die drei Deutschen anzublicken. »Auch wenn wir wollten. Das ist unser Problem und wir müssen es selbst lösen.«

»Nein!« Kenan stand auf. »Das geht uns alle an! Außerdem, wer will denn überhaupt darüber bestimmen, wer Türke ist und wer Araber oder Deutscher?« Er zeigte auf Raschids Freunde. »Khaled und Taha haben beide deutsche Pässe, okay? Frag sie mal, ob sie noch Arabisch können! Ich habe beide Pässe, obwohl ich nie im Leben in der Türkei war. Murat ist hier geboren, und du kannst dich auch nicht als vollen Türken bezeichnen, ich meine, wir sind alle irgendein Gemisch, oder? Also, was soll dieser Quatsch? Willst du am Ende wie die Nazis das Blut auszählen lassen, wer wie viele Gene aus welcher Nationalität hat? Ist es das, was wir wollen? Dann bin ich auch nicht dabei!«

Angesichts der ungewöhnlich langen Rede Kenans senkte Murat den Kopf, Raschid und seine Freunde saßen auch verlegen herum, denn es war ihnen peinlich, in Gegenwart von Christian, Markus und Hucky diese Dinge zu besprechen. Ich erkannte aber auch, dass ihre Gegenargumente nicht viel taugten. Wenn die Sache mit meinem Vater nicht passiert wäre, hätten wir nie über solche Dinge gesprochen. Die ganze Atmosphäre in der Stadt war nach dem Mauerfall den Bach runtergegangen, es war, als ob man zwei Fenster auf einmal geöffnet hatte, und wir hockten im Zug dazwischen. Manchmal redeten wir darüber, dass wir uns hier noch den Tod holen würden, dennoch waren wir weit davon entfernt, nach Raschids Beispiel eine Gang zu gründen oder irgendetwas Praktisches zu unternehmen. Wir lebten alle in unseren mehr oder weniger behüteten Elternhäusern, gingen zusammen aus, machten gemeinsam Hausaufgaben und hatten unseren Spaß. Berlin war unsere Oase gewesen. Ich begriff nicht, warum sich das alles plötzlich geändert hatte, weshalb wir nun über alles stritten. Unsere Nerven lagen blank.

Es war wieder Christians sanfte Stimme, die die Stille unterbrach: »Ömer, du weißt, dass ich mich richtig dafür schäme, was man deinem Vater angetan hat.«

»Scheiße, Mann!«, schrie Raschid ihn an. »Was soll dieser Quatsch? Sag mir, warum du dich schämst! Warst du dabei? Nein! Sind diese Mörder etwa aus deiner Sippschaft, hast du einen Bruder, der sich 'ne Glatze scheren ließ?«

»Er schämt sich dafür, dass er Deutscher ist«, erklärte Markus.

»Und wir? Wir sind wieder keine Deutschen? Mensch, begreift doch endlich, dass man uns nicht in solche Lager einteilen kann!« Kenan war sehr böse geworden. »Dieses ganze Gerede von ›Ich schäme mich Deutscher zu sein‹! Erst wenn dieser Quatsch ein Ende hat, werden wir, werden wir …« Er suchte nach einem passenden Wort, fand es diesmal nicht und schwieg.

»Du hast gut reden«, meinte Murat, »du bist ja auch mehr Deutscher als Türke. Du fällst nicht auf, du unterscheidest dich überhaupt nicht von den anderen.«

Kenan war nun nicht mehr zu halten. »Weißt du was«, wandte er sich an Murat, »du wärst seinerzeit bestimmt zum Obersturmbannführer aufgestiegen! Natürlich nur dann, wenn Hitler dich trotz deines türkischen Blutes geadelt hätte!«

Murat wurde ganz bleich im Gesicht. Er stand auf und einen Moment lang dachten wir alle, dass er auf Kenan losgehen würde, aber er packte wortlos seine Zigaretten ein und machte Anstalten zu gehen.

Ich stellte mich vor ihn: »Wisst ihr was? Ihr geht mir richtig auf die Nerven mit eurem: ›Türken, Deutsche, Araber‹! Mich interessiert, ob wir Freunde sind oder nicht. Also setz dich jetzt wieder!«

Murat nahm seinen Stuhl und platzierte ihn in einiger Entfernung, bevor er sich mit dem Rücken zu uns hinsetzte.

»Okay«, sagte ich, »Christian, Markus und Hucky sind auch dabei. Wenn wir anfangen, den Schädelumfang nachzumessen, können wir gleich die Fronten wechseln! Kenan hat Recht. Aber dieses Gerede von ›Ich schäme mich Deutscher zu sein‹ ist wirklich Scheiße. Ich weiß nicht warum, aber es macht mir ein schlechtes Gewissen, und ich sehe dafür keinen Grund, okay? Also lasst das!«

»Müssen wir jetzt auf etwas schwören?« Hucky fragte so naiv, dass wir alle lachen mussten. Die Atmosphäre lockerte sich noch mehr auf, als Selma eine neue Runde Bier brachte.

»Ist doch klar, Mann«, sagte Raschid, »ihr müsst erst mal beweisen, dass ihr es verdient, dabei zu sein.« Er stand auf und begann auf der Holztheke der Bar zu trommeln. Er fand den richtigen Takt und bald sangen wir alle ganz leise »Acayipsin« von Tarkan, der absolute Hit in jenen Tagen. Raschid trieb den Spaß weiter, indem er sagte, Christian, Hucky und Markus müssten zumindest eine Strophe aus dem Song auswendig lernen und uns auf dem nächsten Treffen fehlerfrei vorsingen.

»Und wie kommen wir an die Lyrics?«, fragte Markus besorgt.

»Ganz einfach. Du gehst ins Internet, findest die Webseiten von Tarkan und schickst dem Fanklub eine freundliche Mail, dass sie dir den Text senden sollen.«

»Na gut. Aber wie finden wir diese Webseiten? Ich meine, die türkischen?«

»Yahoo!«, rief Kenan. »Den Suchmaschinen ist die Sprache so egal wie die Augenfarbe, für die ist alles, was du eintippst, bloß 'ne neue Kombination aus Buchstaben, und davon gibt es unendlich viele.«

Der U-Bahn-Waggon legte sich in eine Kurve und nahm seinen Weg geradeaus in ein dunkles Loch, wo er einem Kameraden begegnete, der grußlos vorbeiratterte. Den Bruchteil einer Sekunde lang sah ich in das Gesicht eines Mädchens, bis ich mit meinem dunklen Spiegelbild wieder allein blieb. Der Zug war um diese Zeit voll mit Nachtbummlern auf dem Weg zu ihrer ersten Station, einem der vielen Restaurants in Kreuzberg oder Mitte. Ein schick angezogenes Pärchen in den Vierzigern saß mir schweigend gegenüber. Die Frau musterte ihre Schuhe, offensichtlich eine teure Neuanschaffung, ihr prüfender Blick glitt über die schwarze Strumpfhose und den kurzen weinroten Rock auf ihre Hand mit vielen Silberringen und blieb dann eine Weile auf den zartrosa lackierten Fingernägeln ruhen, um dann plötzlich meinen Augen zu begegnen. Ich senkte den Kopf. Ihr Mann strich sich über das Haar und legte beide Hände in den Schoß, den Kopf leicht eingezogen, die Mundwinkel nach unten gerichtet, ein kleiner Junge, der nach einem unerlaubten Ausflug in die Freiheit nun seine Strafe absitzen muss, er würde allem zustimmen und seine Frau für sich sprechen lassen, von den Kindern, dem letzten und nächsten Urlaub, vom Wetter und so weiter. Schausitzen der Paare abends um halb neun auf der mobilen Bühne der Linie eins, gebündelte Schicksale, der Mensch ist immer allein. Einige lasen in dicken Taschenbüchern, andere schauten um sich, ohne zu sehen, denn ihr Gesichtsausdruck blieb starr. Wenn sich die Augen fingen, wendeten sie den Kopf ab, beschämt, uneingeladen in die andere Welt eingedrungen zu sein, eine peinliche Situation, wofür man sich entschuldigte, indem man sich nicht ein zweites Mal anschaute. Ein kleines Mädchen auf dem Schoß seiner Mutter bot eine Ausweichmöglichkeit, von den meisten dankbar angenommen. Von der alten Frau in der Ecke mit den großen Einkaufstüten ununterbrochen angelächelt, vergrub es den Kopf noch mehr an der Brust seiner Mutter, die im vollen Bewusstsein ihrer Verantwortung als Beschützerin eines kleinen Wesens ihr Kinn noch ein bisschen anhob, um sich über die Köpfe hinweg in das Bild der Mutter mit Kind im dunklen Spiegel der Scheiben zu vertiefen. Die Menschen liebten Kinder, solange sie Kinder blieben. Mit jedem neuen Schritt in das Erwachsenenalter verlor man ein Stück Sympathie der Umgebung, das Großwerden als Strafe für etwas, wofür man nichts kann.

Sie musste am Wittenbergplatz eingestiegen sein. Ich überlegte krampfhaft, wann und wo ich sie schon einmal gesehen hatte, vielleicht war das vor zwei Wochen auf der Veranstaltung des Jugendheims in der Naunynstraße gewesen, zu der wir Gymnasiasten eingeladen worden waren, um Realschülern Nachhilfeunterricht in Deutsch zu geben. Kenan hatte mich dorthin geschleppt, trotz meiner heftigen Einwände, kurz vor dem Abitur könnte ich mir auf keinen Fall so etwas aufbürden, war ich doch mitgegangen, um ihn nicht zu enttäuschen. Sie setzte sich schräg gegenüber, zwischen das Paar und die alte Frau. Sie hatte schwarzes, kurz geschnittenes Haar und einen glitzernden Stein im rechten Nasenflügel stecken. Ihre Haut bildete einen starken Kontrast zu ihrer Haarfarbe, sie hatte genauso wie ich große, dunkelbraune Augen, die sie auf den Schuhen ihres Gegenübers ruhen ließ. Sie trug enge, weiße Jeans und ein dunkelblaues T-Shirt, ihre Füße steckten in Turnschuhen, aber sie war eigentlich keine sportliche Frau, sie wirkte zerbrechlich und scheu. Ich fragte mich, was in dem großen Rucksack stecken mochte, den sie auf ihrem Schoß festhielt. Als der Zug endlich aus dem Tunnel herausschoss, fiel ein einziger roter Strahl der untergehenden Sonne auf ihr Gesicht. Geblendet vom Licht, hob sie den Kopf und unsere Blicke trafen sich zum ersten Mal.

Nun könnte ich tausende von Versen zitieren, die von diesem ersten Blickkontakt erzählen, ein steriles deutsches Wort, das mich eher an Untersuchungen beim Augenarzt erinnert als an eine unbeschreibliche Regung tief im Herzen, im Bauch und weit tiefer im Körper, wo es uns am ehrlichsten berührt. Wenn es einen grundlegenden Unterschied zwischen einer deutschen und einer türkischen Frau gibt, dann liegt er in den Augen. Ich habe deutsche Bauchtänzerinnen gesehen, die besser tanzen als jedes Original, nur eines machen sie falsch: Sie schauen einem beim Tanz direkt in die Augen, mit einem Blick, der fragt: Na, wie mache ich's? Klasse, was? Ich hab's ja auch lange genug geübt. Damit reduzieren sie diesen Tanz auf eine sportliche Leistung, auf eine Performance des Körpers, die jeder einstudieren kann, der die Geduld und Kondition dafür aufbringt. Dabei ist der Bauchtanz die erotischste Art, wie eine Frau ihren Körper bewegen kann, sie muss gar nicht perfekt sein, aber eines muss sie können: den Funken übermitteln. Und das hat ganz wesentlich mit dem Blick zu tun. Ihr Blick irritierte mich, noch mehr der Sinn, den sie hineinpackte. In dem Moment begriff ich, warum sie ihre Augen die ganze Zeit auf den Boden gerichtet hielt, denn sie waren viel zu nackt und sinnlich, um sie achtlos umherschweifen zu lassen. Sie hat verräterische Augen, hätte Kenan gesagt, deshalb versteckt sie sie. Sie verrieten aber auch eine Traurigkeit, die eher eine Grundstimmung zu sein schien als eine vorübergehende Regung des Gemüts. Ich bekam das sichere Gefühl, dass ich sie kannte, schon immer gekannt hatte und immer kennen würde.

Ich gebe zu, dass ich sie anstarrte. Bald verwandelte sich ihr Kopf vor dem Hintergrund der lichtdurchfluteten Häuser in eine dunkle Silhouette, die dort auftauchte, wohin ich gerade schaute. Sie war überall. Ich wartete darauf, dass unsere Blicke sich wieder begegneten, aber sie schaute nicht mehr in meine Richtung. Ihr Blick verlor sich in einer imaginären Ferne, die durch den schnellen Wechsel der Bilder hinter der Fensterscheibe bis in die Unendlichkeit zu reichen schien.

Als sie sich plötzlich unmerklich bewegte und ihre Hand den Rucksack ein bisschen fester zu packen schien, schlug mein Herz sofort auf Hochtouren. Ich merkte, dass ich gar nicht mehr wusste, wo wir waren. Als ich dann die Betonterrassen der Adalbertstraße nahen sah, erkannte ich das Kottbusser Tor, hier musste ich aussteigen, Murat treffen, um ins *Irmak* zu gehen. Sie stieg auch aus. Aber dabei passierte leider gar nichts, ihr Rucksack fiel nicht auf den Boden, der Inhalt breitete sich nicht auf dem Bahnsteig aus, sodass ich mich mit ihr gleichzeitig hätte bücken und ihr dabei helfen können, die Puderdose oder die Sonnenbrille wieder einzusammeln, sie stolperte nicht an der Rolltreppe, sie blieb nicht an der Imbissbude stehen, kaufte sich keine Pfefferminzbonbons, suchte nicht nach Kleingeld, sie schaute mich auch kein zweites Mal an. Ich sah sie nur kurz vor dem großen Secondhand-Laden stehen bleiben, um die Finger durch die draußen hängenden Lederjacken gleiten zu lassen, bevor sie in der Adalbertstraße verschwand.

Berlin ist nicht die Stadt menschenfreundlicher, wohliger Plätze, in deren Mitte eine riesige Platane oder meinetwegen eine kleine Kirche steht, in deren Schatten man gemütlich sitzen und dem Treiben zuschauen kann.

Irgendwie gibt es einen Zusammenhang zwischen den Städten, die sich die Menschen erbauen, und ihrer Mentalität. Früher habe ich mich gewundert, dass es in süddeutschen Städten mit ihrer erzkonservativen Gedankenwelt viel schöner und freundlicher ausschaut als in den Städten des Nordens, die sich ihrer Weltoffenheit und Toleranz rühmen. Später habe ich den Grund verstanden: Menschen, die zur Liebe fähig sind, sind genauso auch zum Hass fähig, das Menschliche spiegelt sich nicht in breiten Alleen wider, sondern in kleinen Kircheingängen, im Kopfsteinpflaster, in den Regalen der Krämerläden und in gemütlichen Gaststuben, in denen man noch mit Namen begrüßt wird und sein Getränk serviert bekommt, ohne es bestellen zu müssen, wo die Gerichte noch einen Namen haben und keine Nummer. Dass in denselben Lokalen auch Pläne für ein ausländerfreies Deutschland geschmiedet werden, scheint dazuzugehören. Heute, während meines Jurastudiums in Hamburg, sitze ich an sonnigen Nachmittagen manchmal im Alsterpavillon – ja, dort, wo mein Vater in die Kamera gelächelt hat – und frage mich, ob die sprichwörtliche Weltoffenheit dieser Stadt nicht eigentlich mit einer arroganten Gleichgültigkeit allem Fremden gegenüber zusammenhängt. Aber Berlin übertrumpft in seiner Kälte jede andere Stadt des Nordens, so schauen auch seine Plätze aus: nackt und nichts sagend. Das Kottbusser Tor ist ein gutes Beispiel dafür. Kann man es überhaupt als Platz bezeichnen? Schließlich besteht es aus einer U-Bahn-Brücke, die den Platz in zwei etwa gleich große Hälften schneidet, mit einer Kreuzung hier, einer anderen dort, vielleicht fünfzig Zebrastreifen und Verkehrsampeln, ohne die man jeden Moment überfahren würde, und einem risikofreudigen Volk, das es immer wieder schafft, sich hinüberzuretten, bevor das nächste Auto vorbeirast.

Das *Irmak* sah aus wie all die anderen türkischen Kaffeehäuser in Berlin. An der breiten Fensterfront hing eine schmutzige, vom Nikotin verfärbte Gardine, die die Besucher vor allzu neugierigen Blicken schützte – Türken mögen die Intimität und werden sich nie mit diesen grell beleuchteten, postmodern kahlen Bars und Restaurants anfreunden können, in denen man sitzt, um gesehen zu werden. Nein, ich glaube, wir wollen immer selbst beobachten können, ohne gesehen zu werden, das Private und das Öffentliche müssen irgendwie mit dicken Grenzmarken voneinander getrennt sein. So war das *Irmak* ein idealer Ort zum Teetrinken und Spielen. In der Ecke befand sich eine niedrige, kurze Theke, dahinter zwei große elektrische Samowars, Kaffeemaschinen, hunderte von kleinen Teegläsern, eingestaubte künstliche Blumen und ein *Saatli Maarif Takvimi*, ein Abreißkalender, auf dessen Blättern das ganze Wissen zu finden ist, das man für die Fortführung seiner täglichen Existenz braucht: die Gebetszeiten, Mädchen- und Jungennamen des Tages und ihre Bedeutung, eine Anekdote von Oscar Wilde über die Frauen und das Alter oder eine Episode aus dem Leben des letzten Sultans, natürlich das Tageshoroskop und ein komplettes Menü mit dem Rezept des Hauptganges.

Murat wartete schon auf mich. Wir setzten uns an einen

der hinteren Tische und bestellten Kaffee. »Wie wollt ihr ihn haben?«, fragte der Wirt, ein älterer, kleiner Mann mit listigen Augen und einem weißen Oberlippenbart. »Filterkaffee«, antwortete Murat. – »Haben wir nicht.« – »Na, dann eben Tee«, sagte er, worauf der Mann mit einem abfälligen Lächeln im Gesicht hinter seiner Theke verschwand.

Ich begann mit den Zuckerstückchen aus der Plastikdose zu spielen und beobachtete die Gäste. An zwei Tischen fand eine Backgammonpartie statt, die Spieler bewegten mit emotionslosen Mienen die Steine auf dem Spielbrett. Ein dritter Tisch war in ein Okay-Spiel vertieft, eine sehr laute Angelegenheit, die ihren Lärm nicht rechtfertigt. Niemand unterhielt sich. An einem letzten Tisch saß ein einzelner Mann, etwa im Alter meines Vaters, und rauchte vor sich hin.

Ich zog das Foto vom Wannsee aus der Jackentasche und verglich die Gesichter. Die beiden Freunde meines Vaters waren nicht hier, jedenfalls nicht heute. Als Murat neugierig fragte, erklärte ich ihm, dass ich das Bild zwischen den Sachen meines Vaters gefunden hatte und hoffte einen der Männer zu treffen, vielleicht sogar hier im *Irmak*. »Warum das denn?«, fragte er verblüfft. »Was erhoffst du dir davon?«

»Ach, nichts«, sagte ich und versuchte meine Stimme so gleichgültig wie möglich klingen zu lassen. »Ich dachte, es wäre nett, mal einen seiner Freunde zu sehen.«

Murat war mit der Antwort zufrieden und klopfte mir verständnisvoll auf die Schulter. In dem Moment brachte uns der Wirt den Tee. Ich bat ihn, sich kurz zu uns zu setzen, was er sofort tat. Er streckte neugierig seinen Kopf nach vorne, schaute uns forschend an und wartete auf eine Erklärung.

»Ich bin der Sohn von Seyfullah Gülen«, sagte ich geradeheraus. »Mein Vater kam oft hierher, nicht wahr? Kennen Sie ihn?«

»Klar kenne ich deinen Vater!«, sagte er laut. »Hay Allah, Junge, das sind Zeiten! Dreißig Jahre lang hatten wir unsere Ruhe, wir haben vor uns hin gelebt, schau dir jetzt die Misere an! Alles wegen dieser gottverfluchten Maueröffnung, ab jetzt wird nichts mehr so sein wie früher. Deutschland schmeckt nicht mehr.« Dabei verzog er sein Gesicht, als ob er an einer Zitrone geleckt hätte. »Nein, dieses Land ist nichts mehr für uns Türken. Wer seinen Verstand noch beisammen hat, packt seine sieben Sachen und kehrt zurück. Ich für meinen Teil tue es dieses Jahr, ganz bestimmt.« Er sammelte grimmig die Zuckerwürfel auf, die ich auf der karierten Tischdecke verteilt hatte. »Wie geht es deinem Vater überhaupt?«

»Nicht gut. Er liegt immer noch im Koma.«

»Du hast einen Bruder, nicht wahr? Hab's in der Zeitung gelesen. Schickes Lokal. Nicht so wie dieses hier.«

»Dieses hier ist besser.«

Er lächelte geschmeichelt. Dann bohrte er seine schwarzen Augen in mein Gesicht und wartete auf weitere Erklärungen von mir, weshalb wir plötzlich hier aufgetaucht waren.

»Kennen Sie diese Männer hier?« Ich legte das Foto auf

den Tisch. Er nahm es in die Hand und führte es ziemlich nahe an die Augen.

»Aber natürlich!«, sagte er. »Der in der Mitte ist doch Seyfullah! Jung sah er aus, damals! Wann ist das denn gemacht worden?« Noch bevor ich antworten konnte, drehte er es um und las die geschwungenen Buchstaben auf der Rückseite. Er hob die Augenbrauen und schaute mich verwundert an, ohne etwas zu sagen.

»Mehmet und Ali«, sagte ich. »Kommen diese Männer auch in Ihr Lokal? Ich selbst kenne sie nämlich nicht«, fügte ich hinzu, »mein Vater hat sie nie mit nach Hause gebracht.«

»Den einen kenne ich«, antwortete er und zeigte auf den größeren Mann zur Rechten meines Vaters. »Das ist der Mehmet, aber wir nennen ihn hier alle Memo. Früher kam er oft hierher. Dann habe ich nichts mehr von ihm gehört, es hieß, er sei nach Westdeutschland gegangen, Hamburg oder Bremen. Ich glaube, er war früher schon mal dort gewesen. Einer aus Tunçeli.« Er verzog wieder sein Gesicht, woraus ich schloss, dass Tunçeli nicht zu seinen Lieblingsorten zählte, weshalb auch immer. »Aber frag doch den da«, sagte er und zeigte auf den Mann, der immer noch einsam an seinem Tisch saß. In diesem Moment wurde der Wirt von den Spielern am Okay-Tisch herbeigerufen und eilte hinter seine Theke, um die Bestellung fertig zu machen.

Wir standen auf und setzten uns zu dem Mann, der schon die ganze Zeit neugierig zu uns herübergespäht hatte. Ich erzählte ihm, wer ich war, und dass ich hoffte, hier Freunde meines Vaters zu finden, auch das Foto gab ich ihm in die Hand.

Zuerst war er bei weitem nicht so gesprächig wie der Wirt. »Es tut mir sehr Leid, was deinem Vater passiert ist«, murmelte er mit einer tiefen, heiseren Stimme. »Ich kenne ihn gut. Schon von Anfang an. Wir haben zusammen die Schicht geschoben, jahrelang.«

»Sind Sie auch bei Siemens?«, fragte ich aufgeregt. Ich kam mir dabei sehr dumm vor, denn ich benahm mich wie jemand, der seinen Vater suchte, weil er ihn verloren hatte oder weil er ihn seit seiner Geburt nie kennen gelernt hatte. In einer Hinsicht stimmte es ja auch, ich war wirklich auf der Suche nach meinem Vater.

»Ja, Siemens, immer noch Siemens«, antwortete er knapp.

»Ich will Folgendes wissen«, sagte ich. »Jemand sagte mir, mein Vater wäre am Wochenende und auch mal zwischendurch immer hierher gekommen, allerdings ohne länger zu bleiben. Stimmt das? Wissen Sie, wohin er anschließend gegangen ist?« Ich fühlte Murats verblüfften Blick und wusste nur allzu genau, dass ich mit dieser Frage allerhand verriet. Ich gab Familiengeheimnisse preis, das gehörte sich normalerweise nicht, aber das waren keine normalen Zeiten und ich wollte auch gar nicht so normal sein.

Der Wirt hielt es nicht länger aus und setzte sich wieder zu uns. Der Arbeitskollege meines Vaters fing an zu erzählen. Je mehr er sprach, desto stärker öffnete er sich, er begann fast eine körperliche Lust am Erzählen zu empfinden, uns blieb nichts anderes übrig, als seiner Geschichte zuzuhören. »Das war im sechsten Monat des Jahres 1962. Ich kam von Izmir nach Istanbul. Bis nach Bandirma mit dem Zug, dann mit dem Schiff rüber nach Haydarpascha. Kennst du diesen großen, vom Ruß geschwärzten Bahnhof?« Ich schüttelte den Kopf. »Den haben die Deutschen gebaut. Klug von ihnen. Von da aus haben nämlich die Züge uns alle hierher getragen. Fünfzig Lira habe ich damals von den Deutschen als Reisespesen gekriegt, fünfzig Lira, stellt euch vor!« Er riss seine Augen weit auf und lachte uns voll an, wir lachten zwangsläufig mit, auch wenn wir uns unter fünfzig Lira vor dreißig Jahren oder heute nichts vorstellen konnten. »Einundzwanzig Türken waren wir in dem Zug nach München. Seyfullah mit mir im selben Abteil. Tagelang. Er erzählte aber nichts, war verschwiegen wie ein Grab, dein Vater.« Ich nickte, obwohl ich meinen Vater nach einigen Gläsern Schnaps immer sehr gesprächig fand. »In München steckten sie uns in einen Keller. Es gab einen Dolmetscher, ach, diese Dolmetscher, das sind Gauner! Zuerst haben sie uns an deutsche Firmen verkauft, dann kassierten sie dickes Geld dafür, jedes Dokument zu übersetzen. Aber das ist ja immer so. Ohne Hirten verliert sich die Herde, dann muss jedes Schaf selbst sehen, an welchem Bein es sich aufhängen lässt.« Wir lächelten wieder wissend, aber diesmal schaute er uns beleidigt an. Das war nicht zum Lachen gedacht gewesen.

Ich fühlte mich diesem Mann sehr nahe, denn er war nicht nur ein Freund meines Vaters, sondern er hatte auch eine große Ähnlichkeit mit ihm, er besaß das Wissen über das Leben, das auch mein Vater so meisterhaft beherrschte. Dazu gehörte zum Beispiel auch, zu wissen, wann man lacht und wann man den Mund hält, es gehörte dazu, dass man genau wusste, was in einem bestimmten Moment zu tun oder zu unterlassen war, dass man auf Grund weniger Zeichen die Zukunft vorhersehen und das künftige Verhalten von anderen richtig einschätzen konnte, um nicht immerfort auf die Schnauze zu fallen.

Während wir unseren dritten, vierten Tee tranken, hörten wir geduldig der Geschichte des Mannes zu, der Kamil hieß und einer aus Thessaloniki in die Türkei eingewanderten Familie angehörte: »Die Deutschen gaben uns viel zu essen, Teller voll mit Fleisch, Fleischstücke so groß wie meine Schuhsohlen« – er streckte einen Fuß unter dem Tisch hervor und zeigte uns seinen schwarzen Mokassin – »wir sollten uns erst satt essen, sagten sie, es sei kein Schweinefleisch, nur türkische Rinder, das haben wir diesen Gaunern natürlich nicht abgenommen, wie sollten sie auch damals unsere Tiere nach Deutschland geschafft haben?« Wir schüttelten synchron die Köpfe. »Nicht einmal das Gemüse haben wir angerührt, nur trockenes Brot gegessen. Wir durften ja auch nicht wie hungrige Wölfe über alles herfallen und gleich einen falschen Eindruck hinterlassen, nicht wahr? Nach der Mahlzeit ging's ab zum Flughafen, von da aus nach Hamburg, Regen, kalt, im Juni ein Wetter wie im November, seitdem schlage ich mich mit diesem verdammten Rheuma herum.« Er steckte sich eine neue Zigarette an und inhalierte kräftig, der Rauch sickerte mit jedem seiner Worte aus dem Mund und der Nase wieder heraus. »Auf dem Flughafen warteten sie alle auf uns, die Bosse, die Meister, die Dolmetscher. Ich hatte in Izmir in einer Metallwerkstatt gearbeitet, deshalb hatte man mich mit den anderen zu den Docks eingeteilt. Ja, ja, der Empfang war herzlich, alles sehr fremd, aber freundlich. Ich weiß noch sehr gut, wie Seyfullah zu mir sagte, diese Deutschen seien ja doch keine Menschenfresser, nur etwas laut seien sie. Später haben wir natürlich alle gelernt, dass du in diesem Land nur dann zu deinem Recht kommst, wenn du lauthals danach schreist.« Er senkte missmutig den Kopf und spielte mit der Glut seiner Zigarette, bis sie in den Aschenbecher fiel. Er nahm sie mit einer geschickten Bewegung wieder auf, ließ die Zigarette zwischen seinen Fingern eine Weile vor sich hin qualmen und schaute mich und Murat abwechselnd an. »Ihr denkt, wir haben Scheiße gebaut, nicht wahr? Geschuftet wie die Ochsen und uns geduckt wie Mäuse. Ja, ja, sagt schon! Mein Sohn sagt dasselbe: Ihr habt euch verkauft, ihr habt euch niedermachen lassen und nun baden wir das alles aus. Wir müssen für eure Fehler geradestehen.« Er verzog den Mund. »Einerseits stimmt's ja auch, andererseits konnten wir nicht anders.«

»Und warum konntet ihr nicht anders?«, fragte Murat. »Gott hat dem Menschen nicht nur Augen, Ohren oder eine Nase gegeben, sondern auch einen Mund, damit er reden und sein Recht verteidigen kann!«

Kamil schaute Murat an wie einen alten Bekannten.

»Ich habe lange darüber nachgedacht«, sagte er schließlich, »warum wir so sprachlos waren. Gut, wir sprachen kein Deutsch, wir hatten immer Angst vor allen – dem Meister, den deutschen Kollegen, der Polizei, vor jedem, der uns irgendwie in Schwierigkeiten bringen konnte. Aber das allein war es nicht. Ihr wachst ja jetzt hier mit allem auf, Fernseher, Computer, Autos, alles kennt ihr schon von Geburt an. Wir fühlten uns doch wie auf dem Mond, als wir hierher kamen. All dieser Reichtum. Dazu führten sich die Deutschen so auf, als ob jeder von ihnen der liebe Gott selbst wäre. Sie haben ja immer einen befehlenden Ton, aber das wussten wir damals noch nicht, der Meister schrie: ›Mahlzeit!‹ und wir standen stramm, weil wir dachten, er erteilt uns einen neuen Befehl, den wir, verdammt noch mal, nicht verstehen! Sie haben uns einfach erschlagen mit ihrem Verhalten, das waren wir nicht gewohnt. So viel zu reden, so laut, so selbstsicher.« Er schaute uns direkt in die Augen. »Aber ihr lasst euch nicht unterkriegen, oder?«

Wir schwiegen.

So nahm er seine Erzählung wieder dort auf, wo er sie abgebrochen hatte. »Nun ja, da waren wir also in Hamburg angekommen. Man brachte uns in ein großes Fotogeschäft in der Mönckebergstraße, das gibt es heute noch, direkt unter dieser Restaurantbrücke im Fußgängerbereich« – keiner von uns kannte Hamburg, also fuhr er mit einem Schulterzucken fort: »Von jedem wurden zwei Bilder gemacht. Dann ging's ab zum Hafen, zum Wohnheim. Dort gab es diesmal fünfzig Mark Begrüßungsgeld, danach wurden uns die Betten gezeigt.« Er hielt inne und machte ein bekümmertes Gesicht. Wir warteten, bis er seine bis zum Filteransatz aufgerauchte Zigarette im Aschenbecher ausdrückte.

»Und dann?«, fragte ich neugierig.

Er schaute mich zögernd an, unentschlossen darüber, ob er weitersprechen sollte oder nicht. Dann breitete sich ein warmes Lächeln über sein Gesicht. »Nun, Seyfullah hatte ein bisschen Angst.« Er musterte mich abschätzend, und als er keine Reaktion von meinem Gesicht ablesen konnte, fuhr er fort: »Angst vor den Tiefen, Angst vor den Höhen. In unserer letzten gemeinsamen Nacht im Heimzimmer sagte er zu mir: ›Kamil, ich muss meine Füße fest auf dem Boden fühlen, verstehst du, fest auf der Erde. Sonst geht es nicht. Ich kann nichts dafür. Außerdem, wenn Gott gewollt hätte, dass wir fliegen können, hätte er uns Flügel gegeben, nicht wahr? Wenn er gewollt hätte, dass wir in diese schrecklich schwarzen Gewässer eintauchen, wären wir mit Schuppen und Flossen auf die Welt gekommen.‹ Und ich sagte ihm: ›Seyfullah, Bruder, du hast Recht. Aber ich glaube, Gott hat uns schon lange vergessen. Wenn er gewollt hätte, dass wir dreitausend Kilometer von zu Hause entfernt in deutschen Fabriken unser Geld verdienen, hätte er uns doch als Deutsche geschaffen und nicht als Türken, oder?‹ Dein Vater überlegte kurz und meinte: ›Wir sollten nicht unsere eigenen Unzulänglichkeiten Gott in die Schuhe schieben.‹ Dein Vater dachte einfach zu viel nach.«

So waren Kamil und die anderen Männer, mit denen

mein Vater damals nach Hamburg gekommen war, auf den Docks geblieben, während mein Vater sich wegen seiner Ängstlichkeit eine andere Arbeit suchen musste. Kamil hatte ihn danach nicht mehr so oft gesehen, denn mit den Docks verließ er auch das Wohnheim, in dem er sowieso nur fünf oder sechs Nächte verbracht hatte. Er wohnte dann mit anderen in einer Mietwohnung in Altona und verrichtete eine Arbeit auf den Landungsbrücken, was er dort genau tat, wollte oder konnte Kamil uns nicht sagen. Auf jeden Fall vergingen vier Jahre, bis er nach Berlin ging. Mein Vater hatte diese Arbeit bei Siemens bekommen, diesmal durch einen Freund namens Mehmet, der selbst dort arbeitete. Kamil zeigte erneut mit dem Finger auf den Mann rechts von meinem Vater auf dem Foto: »Hier, dieser Mehmet verschaffte ihm die Stelle und später holte mich dein Vater auch nach Berlin, weil ich es satt hatte, auf diesen gottverfluchten Schiffen herumzuklettern. Die Feuchtigkeit machte mir furchtbar zu schaffen, nachts lag ich in meinem Bett und kam mir vor wie ein toter Fisch.« Eine neue Zigarette, das zehnte Glas Tee. »Schichtarbeit«, sagte er plötzlich laut und auf Deutsch, »die war dann aber noch schlimmer für mich. Nachdem ich nach Berlin gekommen war, schimpfte ich jede Nacht über deinen Vater, das habe ich ihm damals auch ins Gesicht gesagt: ›Mensch, Seyfullah, deinen Märchen habe ich geglaubt, von wegen leichte Arbeit und gutes Geld! Das Gehalt ist ja in Ordnung, aber diese Nachtschichten, die werden mich umbringen, noch bevor ich in die nächste Lohntüte gucken kann!‹ Mauer hin, DDR her, damit hatten wir eh nichts zu schaffen, unser Leben spielte sich zwischen Gemeinschaftswohnung und Werkhalle ab – wenn man einmal von den unfreiwilligen Ausflügen absieht!« Er lachte wieder laut und wir lachten mit, ohne den Grund zu kennen. »Ich fing um zehn Uhr nachts an, mit diesen gottverdammten Schrauben zu hantieren, bis morgens um sechs. Ihr seid ja noch jung«, sagte er, wir senkten beschämt die Köpfe, »aber wir waren nach harten Arbeitsjahren zu Hause sowieso schon ziemlich kaputt, dazu kam das Heimweh, eine richtige Krankheit, über die große Mediziner in Amerika so dicke Bücher geschrieben haben« – er spreizte den Zeigefinger und Daumen seiner freien Hand und machte dabei ein Gesicht, als ob er von dem erstaunlichsten Buch der Literaturgeschichte berichten würde. »In fünf Jahren waren wir um zehn Jahre gealtert.« Er schwieg eine Weile und stocherte mit dem Löffel im Teeglas herum. Als er den Kopf senkte, wurden die schweren Tränensäcke unter seinen Augen sichtbar. »Morgens nach der Schicht war ich nichts anderes als ein Schlafwandler. Ich stieg in die U-Bahn und wachte an der Endstation auf, die Leute, frisch geduscht, auf dem Weg zur Arbeit, sie sahen mich an, als ob ich der letzte Penner wäre, irgendwie stimmte das ja auch. Es war nichts Außergewöhnliches, dass einige von uns den Weg nach Hause nicht mehr fanden, nachdem sie völlig übermüdet im Bus oder in der U-Bahn zu weit gefahren waren. Die Polizei brachte sie dann im Funkwagen zurück. Wir haben uns an das Blaulicht richtig gewöhnt, die Beamten scherzten auch schon, dass wir uns von ihnen bequem nach

Hause chauffieren ließen – sie ahnten ja nicht, dass uns diese Schichtarbeit richtig fertig machte.«

Kamil erzählte von Siemens, von den Betriebsversammlungen, ihrem ersten Streik und dem ersten Betriebsausflug, von dem ersten Besuch auf der anderen Seite der Mauer und wie friedlich und angenehm das Leben im Berlin der 70er Jahre gewesen sei. Verschwenderisch ging er mit Worten um, meistens auf Türkisch, mit hineingesprenkelten deutschen Ausdrücken wie »Heim«, »krank gemacht«, »Betriebsrat« oder »Arbeitsamt«, ich schätze, er wusste gar nicht, wie diese Wörter auf Türkisch hießen. Andererseits verstand ich einige türkische Wörter nicht, aber das machte überhaupt nichts. Sie hatten alle eine harte Anfangsphase gehabt, in der sie sozusagen in ihre Kindheit zurückversetzt worden waren und ihre fremde Welt neu deuten und mit ihr umzugehen lernen mussten. Dabei hatten sie sich zusammengeschlossen wie »Schiffbrüchige auf einer Insel«, wie er es selbst ausdrückte. Als dann jeder gelernt hatte, mit der Schlaftrunkenheit nach der Nachtschicht fertig zu werden, und seinen Weg nach Hause ohne Funkstreife fand, entdeckten sie wohl, dass sie sich nicht auf einer kleinen Insel befanden, sondern auf dem Festland, und so hatten sie sich in alle Himmelsrichtungen verteilt. Die meisten hatte man nicht mehr wieder gesehen, aber Kamil verlor meinen Vater nie aus den Augen, auch als er einem anderen Werk zugeordnet wurde. Das *Irmak* war der Treffpunkt gewesen, hier hatten sie sich jedes Wochenende gesehen.

»Mein Vater hielt sich nie allzu lange hier auf, oder?«,

formulierte ich meine Frage dieses Mal vorsichtiger. »Er sitzt ja nicht gern in Kaffeehäusern herum.«

»Stimmt!«, lachte Kamil. »Seyfullah hält es ja nicht aus in geschlossenen Räumen, er muss unbedingt an die frische Luft! Ja, die frische Luft, nach der die Deutschen so verrückt sind! Manche von uns haben sich einfach zu lange mit Deutschen herumgetrieben«, fügte er dann verärgert hinzu, »wer mit einem Blinden ins Bett geht, wacht schielend auf. Das bringt nur Unglück und so ist es auch geschehen.«

Noch bevor wir etwas sagen konnten, stand der Wirt unvermittelt auf, klatschte in die Hände und sagte laut: »So, *beyler*, genug gequatscht, genug gespielt! Jetzt mal alle nach Hause!«

»Eine letzte Frage«, wandte ich mich an Kamil, »wo finde ich diesen Mehmet?«

»Was willst du von ihm?«

»Nichts. Ich würde mich gerne auch mit ihm unterhalten. Er ist doch ein guter Freund meines Vaters, oder?«

Er gab mir keine Antwort. Plötzlich hatte er es sehr eilig. Er packte Zigaretten und Feuerzeug ein, gab dem Wirt mit einem fragenden Blick fünf Mark, der bejahte mit den Augen, er verabschiedete sich kurz von uns und verließ das Lokal.

VII

Am Wannsee gibt es eine Stelle, da sieht es genau so aus wie am Bosporus in der kleinen Bucht von Bebek, wo die beiden Ufer sich fast umarmen, sagt Ali. Er muss es wissen, schließlich kommt er daher, ein verwöhnter Bürgersohn aus Istanbul. Wäre er nicht damals für die Rettung des Vaterlandes auf die Barrikaden gestiegen und dann böse auf die Nase gefallen, würde er heute mit den schönsten Frauen der Stadt seinen Raki schlürfen, wie Mehmet sagt. Recht hat er ja schon. Aber Ali darf nicht mehr zurück. So schleppt er sie alle am Wochenende bei Sonnenuntergang zum Wannsee, genau zu dieser Stelle, wo er meint zu Hause zu sein. Er ist schon verrückt. Wenn Margret das nicht so lustig fände, würde Seyfullah nicht mitgehen. Nein, ganz bestimmt nicht.

Seyfi, sagt sie zwischen fröhlichem Gelächter, schau mal, der Ali hat diesmal sogar Eis mitgebracht! Ali pickt kleine Eiswürfel aus einem Thermosbehälter heraus, der aussieht wie ein frisch gepflückter grüner Apfel. Granny-Smith-Eis, schreit Margret entzückt und lacht wie ein Kind – es ist so leicht, sie glücklich zu machen. Ali lässt die Eiswürfel mit der silbernen Zange, die er aus seinem Proviantkorb herausholt, stilvoll in die schmalen, hohen Gläser fallen. Kölsch-Gläser, sagt Margret. – Nein, das sind Raki-Gläser. – Aber in Köln trinkt man daraus Kölsch. – Nein, das waren schon immer, sind und werden auch in Zukunft nur Raki-Gläser sein, und damit basta.

Seyfullah nimmt Laila auf den Arm und zeigt ihr die Sterne: »Guck, der da oben links ist der Polarstern, er ist der hellste. Er weist den Seeleuten den Weg. Und da rechts siehst du die Milchstraße, sieht aus wie eine große Wolke, nicht? Sie ist sozusagen die Nachbarschaft, in der wir wohnen. Und der Mond! Er ist aber gewachsen! Deshalb sieht man nicht mehr so viele Sterne wie letzte Woche.« – »Klar«, sagt Laila, »der Mond isst die Sterne auf und so wächst er immer weiter, bis er so satt ist, dass er nichts mehr essen will, dann trauen sich die Sternchen wieder heraus.«

»Papa, warum kommst du nur so selten nach Hause?«, fragt sie, als Seyfullah sie auf den Rücksitz von Alis Mercedes bettet, während die anderen am Bosporus ihren Schnaps trinken. »Ich muss sehr viel arbeiten«, sagt er, »aber wenn ich bei der Arbeit bin, denke ich auch immer an dich, du bist nie allein, wir sind immer zusammen, auch wenn du mich nicht siehst, bin ich immer da und wache über deine Tage und Nächte.« – »Damit ich nichts Schlechtes träume, nicht wahr, Papa?« – »Aber natürlich. Ich bringe jeden Drachen um mit meinem großen Schwert!«

»Papa, was bedeutet eigentlich Halbblut?«

»Das bedeutet, dass du schöner bist als alle Mädchen auf dieser Welt. Ach, da war eben eine Sternschnuppe! Fort ist sie! Du musst dir jetzt etwas wünschen!«

»Papa, ich wünsche mir, ganz zu sein wie alle anderen und

nicht halb. Halb zu sein ist nicht gut. Wenn ich auch ganz wäre, könnten sie mich nicht so ärgern.«

»Weißt du, Laila, halb zu sein ist besser als ganz zu sein. Schau mal, das ist genau wie bei dem Mond. Er isst Sterne, bis er halb ist, dann sieht er am schönsten aus, denn er lässt noch viele andere am Himmel friedlich weiter scheinen. Schau, sie bilden einen Kreis, Dreiecke, Würfel, Straßen, ja, ganze Städte, Länder, Kontinente um ihn herum, Berge und Meere, so endlos ist das, was uns umgibt, das, was wir als das Universum bezeichnen. Der Halbmond ist bescheiden, er ist nicht so habgierig. Aber wenn er voll geworden ist, siehst du nur noch ihn und sonst gar nichts mehr. Nur einen satten, zufriedenen Vollmond und eine tiefschwarze Finsternis um ihn herum. Sag du jetzt, ist der Himmel über uns nicht schöner, wenn der Mond halb ist?«

»Papa, ich liebe dich mehr als alle Sterne und den Mond!«

»Und ich liebe dich mehr, als ich es dir sagen kann, mein Kleines.«

Bei dem Wort »Vater« denke ich immer zuerst an ein paar Pantoffeln aus schwarzem Leder und an braune Socken mit roten Pünktchen darauf. Vater kommt nach Hause, setzt sich in seinen Sessel und nachdem er seinen zweiten Schnaps getrunken hat, fällt er in einen tiefen Schlaf. Nach einigen hoffnungslosen Versuchen, ihn wieder in meine Welt hinüberzuziehen, hocke ich mich voller stiller Resignation neben seine Füße und lasse ihn in meiner Phantasie lautstark gegen Graf Dracula kämpfen, der sich langsam, ganz langsam in seinem staubigen Sarg aufrichtet, um mich am Hals zu packen. Mein Vater holt mit seinem Schwert aus und sticht es millimetergenau in Draculas Herz, das Blut seiner zahllosen Opfer spritzt auf Vaters Socken, womit die roten Punkte eine plausible Erklärung bekommen. Meine Mutter strickt, Adnan ist nicht zu Hause. So sitze ich auf meinem Platz und lausche der Stille, die wahrhaftig sehr laut sein kann. Meine Welt ist sowieso immer übervölkert, die schwarzen Pantoffeln sind die einzige Sicherheit, die ich habe, falls Dracula doch noch einmal zwischen Spinnweben und windverwehten Gardinen auferstehen sollte. Später lasse ich die schwarzen Pantoffeln allein auf ihrem Platz ruhen. Oft warten sie eine ganze Nacht lang im Schrank, sie stauben aber nie ein, weil meine Mutter sie jeden Nachmittag putzt und für ihn neben dem hässlichen bayerischen Schirmständer bereitstellt. Mein Vater hat jedoch bei seiner Heimkehr keine Zeit mehr sie anzuziehen, weil er sofort ins Bett fällt.

Das alles ging mir durch den Kopf, als ich am Dienstagmorgen beim Frühstück die Zeitungen in die Hand nahm. Sie schrieben unermüdlich weiter. Die *Yeni Vatan* hatte sich nun an die Fersen der Polizei geheftet und berichtete über jede neue Verlautbarung, die immer mit demselben Satz begann: »Wir ermitteln in alle Richtungen …« Jetzt gab es immerhin einen Zusatz – für Hinweise, die zur Aufklärung des Falles dienten, hatte man eine Belohnung in Höhe von fünftausend Mark ausgesetzt, eine lächerliche Summe, wie mir schien.

Murat verband das mit der Hoffnung, dass sich vielleicht einer der Skins für dieses Geld bereit finden würde, gegen seine Kumpels auszusagen. »Für einen aus Cottbus«, sagte er, »ist das ein Vermögen. Mensch, stell dir vor, wie viele Trabis man sich davon kaufen kann!« – »Quatsch, die fahren doch keine Trabis mehr, Mann, die sind doch alle auf Mercedes umgestiegen« – so alberten wir herum, als wir uns am Abend am Kottbusser Tor trafen, um zum *Diwan* zu gehen und mit den anderen unsere neuen Erkenntnisse auszutauschen.

Ich war neugierig, was Kenan und Hucky in der *Fliege* herausbekommen hatten, zugleich fühlte ich mich wie erschlagen, denn es gab keinen einzigen Fortschritt. Meinem Vater ging es nicht besser, er war nicht aus dem Koma erwacht, die Ärzte schwiegen sich aus. Kommissar Löbel meldete sich nicht, neben der ausgesetzten Belohnung ein weiteres klares Zeichen dafür, dass die Polizei auch keinen Schritt weitergekommen war. Meine Mutter wurde von Tag zu Tag schweigsamer. Ich fuhr von der Schule immer sofort nach Hause, holte sie ab, wir gingen wortlos zur U-Bahn, saßen während der Fahrt still auf unseren Plätzen, sie setzte sich im Zimmer meines Vaters auf die Kante des kleinen Besucherstuhls, der für sie bereitstand, sie weinte, betete, tupfte ihre Tränen ab, dann gingen wir wieder zurück, sie allerdings nicht mehr zwei Schritte hinter mir, denn ich hatte mittlerweile gelernt, mich ihrem Rhythmus anzupassen.

Im *Diwan,* genau genommen davor, erwartete uns eine Überraschung. Unser Treffpunkt war geschlossen. Wir standen einige Sekunden verblüfft vor dem dunklen Eingang und versuchten hineinzuspähen, aber es war niemand drin. Murat schlug vor, bei Hucky oder Kenan anzurufen, was wir auch gleich in der Telefonzelle gegenüber taten. Bei Hucky war niemand zu Hause und Kenans Eltern wussten nicht, wohin ihr Sohn gegangen war. Wir standen eine Weile herum und überlegten, was wir tun sollten. Unser Bund schien sich plötzlich in nichts aufgelöst zu haben. Schließlich versuchten wir es bei Raschid. Sein jüngerer Bruder Tarik nahm ab. Er erzählte uns, dass Raschid dort angerufen und gesagt hatte, dass das *Diwan* wegen Krankheit geschlossen sei und sie »beim Fischer« auf uns warteten.

»Beim Fischer?«, fragte ich. »Wer soll das denn sein?«

»Das ist der Ahmet«, sagte Murat, »er bringt doch immer den frischen Fisch zum Markt.«

Da wir kaum Fisch aßen, und mir vorher niemand von einem türkischen Fischer in Berlin erzählt hatte, blieb mir nichts anderes übrig, als Murat zu folgen, der mich an diesem Abend durch die dunklen Labyrinthe Kreuzbergs zu einem Lokal führte, von dem ich nicht einmal im Traum gedacht hätte, dass es existierte.

Wir liefen in Richtung Askanischer Platz, an der unheimlichen Ruine des Anhalter Bahnhofs vorbei zu den Hochbahnbögen, die nach der Stilllegung dieser Linien in den 60er Jahren an Geschäftsleute vermietet worden waren. Die Läden hatten alle kolossale Türen aus schwerem Eisen, viele standen leer oder wurden als Lagerräume benutzt.

Wir machten vor einer großen, dunklen Tür Halt. Murat drückte auf eine Klingel, über der nichts stand. Die Tür wurde von einem kleinen Jungen aufgemacht, der Murat mit einem ernsten Blick grüßte. Wir passierten einen Kühlraum, an dessen nackten Steinmauern Kisten gestapelt waren. Er roch stark nach Fisch. Die zweite Tür war nicht verschlossen. Der Junge drückte den Griff nach unten und wir fanden uns plötzlich mitten in einem großen, kneipenähnlichen Saal wieder. An der hohen, gewölbten Decke hing ein ausgeblichenes rotes Fischernetz, an dem hunderte von Muschelschalen, Seepferdchen und getrockneten Schwämmen befestigt waren. Die Wände waren mit den Farben des Fußballklubs *Galatasaray* geschmückt, alles gelb und rot. An der Wand hinten rechts stand so etwas wie eine Küchenzeile aus Großmutters Zeiten, mit einer überdimensionierten Spüle und einem dampfenden Teekessel mit vielen kleinen Gläsern drum herum. Einige Mädchen waren dabei, Tassen und Gläser zu spülen und für die nächste Runde vorzubereiten. Etwa dreißig Leute hatten sich auf die kleinen Holztische verteilt, manche standen an die Wände gelehnt, andere hatten sich auf die Treppe gesetzt, die zu einem merkwürdig unter der Decke hängenden Raum führte, der wie eine Kapitänsbrücke über allem thronte.

Als wir eintraten, verstummte die Versammlung. Kenan, Hucky und Raschid tauchten aus einer hinteren Ecke auf und zogen uns am Ärmel zu ihrem Tisch. Ich erkannte Mitglieder der Berlin Panthers, die sich mit ihren rotschwarzen Bomberjacken an die Tische in der Mitte gesetzt hatten, das Tier starrte mich mit seinen leuchtend roten Augen von allen Seiten an. Die Sprüher waren auch da, ich grüßte die Jungs vom KGB, die am Wochenende an verschiedenen Stellen am Alex neben ihren eigenen Sprüchen auch unseren Bund der Geächteten verewigt hatten. Die Black Boys, Raschids Freunde und die Mitglieder von Turkey Unlimited hatten sich an verschiedenen Tischen verteilt und diskutierten heftig mit den Panthers über etwas, das ich nicht verstand.

»Was ist hier denn los?«, fragte ich völlig verblüfft Kenan. »Sind jetzt alle auf Kriegspfad?«

Er wollte gerade antworten, da wurde plötzlich ein Tablett mit etwa zwanzig vollen Teegläsern auf unseren Tisch gestellt. Wir nahmen jeder ein Gläschen und bedienten uns aus der Zuckerpackung, die neben dem Aschenbecher stand. Als ich meinen Tee entgegennahm, blickte ich achtlos auf und murmelte ein *teşekkür* und dann fiel mir beinahe das Glas aus der Hand. Das waren dieselben Augen, die ich am Tag zuvor in der U-Bahn vergeblich angestarrt hatte, dieses Mal schauten sie mich direkt an. Ich wurde knallrot. Keine Frau hatte mich bis dahin so in ihren Bann gezogen. Wenn ich im Nachhinein überlege, hing dies vielleicht mit meiner damaligen miserablen Verfassung zusammen, vielleicht kam meine Fixierung auf Meral – so hieß sie – einfach von diesen außergewöhnlichen Umständen, die aus mir langsam, aber sicher einen anderen machten.

Meral war in keiner Gruppe, wie ich später erfuhr, aber sie trieb sich mit den Panthers herum, bei denen sie sowieso kein festes Mitglied geworden wäre, denn sie nahmen Mädchen nicht in ihren Reihen auf.

Wie Raschid mir kurz erklärte, kamen die Jungs nur einmal in der Woche bei Fischer Ahmet zusammen. Die Kneipe ohne Schild und Werbung wurde mehr von der türkischen Boheme in Berlin frequentiert, die hier frischen Fisch aus der Türkei aß, dabei ihren Raki trank und der Musik aus dem Ghettoblaster zuhörte, den der Fischer in die Ecke neben die Leuchtgondel gestellt hatte. Der Laden war überfüllt mit Kitsch, einem Kitsch, den man einfach lieben musste, so wie auch den Besitzer, der sich einzeln um seine Gäste kümmerte und genau wusste, wer wovon wie viel aß. Immer dienstags gehörte das Lokal den Jungs aus Kreuzberg. Sie konnten sich hier ohne Angst treffen, um sich gegenseitig und auch Ahmet von ihren endlosen Sorgen und Nöten zu erzählen, und er fand erstaunlicherweise immer einen Weg, ihnen zu helfen. Die Jungs waren jedem gegenüber misstrauisch; wenn man bedenkt, wie viele Zivilbeamte sich auf Kreuzbergs Straßen herumtrieben, konnte man ihnen das nicht einmal übel nehmen. Wenn die Polizei auf Streife war und an einer Straßenecke mehr als zwei junge Türken zusammenstehen sah, inszenierte sie einen Überfall in L.A.-Manier, los, Hände übern Kopf, Beine auseinander, was habt ihr hier zu suchen, ab nach Hause und so weiter. Wehe, man hatte seinen Pass nicht mit. Ich kenne etliche, die nur deshalb eine Nacht auf der Wache verbringen mussten, weil sie sich nicht ausweisen konnten. Wurde einem etwas Schwerwiegendes zur Last gelegt, war man noch ärmer dran, und hatte man tatsächlich etwas verbrochen, konnte man ohne weiteres abgeschoben werden, was für unsereinen nur Verbannung bedeutete, denn jeder Ort außer Berlin war uns fremd. Die goldene Regel, um in diesem Dschungel zu überleben, hieß deshalb: Jedem gegenüber wach sein, niemandem hundertprozentig vertrauen, heute mehr als je zuvor.

Ahmet war es trotzdem gelungen, das Vertrauen der Jungs zu gewinnen und eine Art Onkel für sie zu werden. Wenn Murats Behauptungen stimmten, hatte er schon zwei von der Nadel wegbekommen und einen so lange bei sich versteckt, bis der selbst bereit war zur Polizei zu gehen und seine Beteiligung an einem Überfall auf einen Kiosk in Wedding zu gestehen. Ahmet hatte sich mit den Eltern des Jungen in Verbindung gesetzt und die Sache war geheim geblieben. Der Klatsch in Kreuzberg war ja schlimmer als jedes Verbrechen selbst. Aber wenn die Eltern sicher sein konnten, dass keiner etwas davon erfuhr, waren sie bereit, ihre Kinder nach deren gescheiterten Ausbrüchen wieder bei sich aufzunehmen, ob sie nun fixten oder von zu Hause ausgerissen waren. Ich glaube, wenn je ein Türke aus Kreuzberg für das Amt des Bürgermeisters kandidieren sollte, dann muss das dieser Mann sein, Ahmet Eken, der türkische Fischer vom Mariannenplatz. So saßen wir also in seiner Kneipe zusammen, der vollzählige Bund. Wir berichteten uns gegenseitig, was wir in Erfahrung gebracht hatten. Den Anfang machten Murat und ich, wir erzählten vom *Irmak*, von dem Wirt, von Kamil und seiner Geschichte.

»Kurzum, im Westen nichts Neues«, sagte Hucky, nachdem ich mit meinem Bericht am Ende war.

»Im Prinzip ja«, antwortete ich, »eine Sache kann ich mir aber nicht erklären. Bevor dieser Kamil ging, sagte er etwas Komisches, das mir nicht aus dem Kopf geht. Er meinte im Zusammenhang mit meinem Vater: ›Wer mit einem Blinden schläft, wacht schielend auf.‹ Das bezog er auf den Umgang mit Deutschen.«

Alle schauten mich verständnislos an. »Das war doch nur so 'n blöder Spruch«, meinte Murat achselzuckend, »mein Vater hat Millionen solcher Sprüche auf Lager, die Alten lieben solche Weisheiten. Je älter sie werden, desto mehr Sprüche fallen ihnen ein, auch wenn sie sich kaum mehr an ihren eigenen Namen erinnern können.«

»Ja, schon«, lenkte ich ein, »aber damit hat er eindeutig meinen Vater gemeint, denkst du nicht auch? Bezogen auf seine Vorliebe für frische Luft.« Ich blickte wieder in verständnislose Gesichter. »Na ja, vergessen wir's«, sagte ich schließlich erschöpft, »vielleicht sehe ich schon Gespenster. Überall nur Nazis und irgendwelche Geheimnisse.«

Wir aßen still unseren Fisch, kleine Hamsi aus dem Schwarzen Meer, die erst gestern mit der Turkish-Airlines-Maschine aus Istanbul eingeflogen worden waren.

Meral stand an der Spüle und trocknete Gläser ab. Ich behielt sie die ganze Zeit im Blick, als Hucky und Kenan von ihren Nachforschungen in der *Fliege* berichteten, die etwas ertragreicher gewesen waren.

Sie hatten den Wirt getroffen und er hatte ihnen von den letzten Minuten meines Vaters vor seinem Sturz ins Wasser erzählt: Es war bereits sehr spät gewesen. Der Wirt wollte schon die letzten Gäste hinausschmeißen, da fiel eine Gruppe von vier Skins durch die offene Tür in die Kneipe. Da ihr Anblick in diesen Breitengraden nichts Alltägliches war, fühlte sich der Wirt ziemlich gestört, die Gäste, darunter wohl auch einige Türken, bekamen richtig bleiche Gesichter. Die Skins waren jung und sahen eben so aus, wie Skins aussehen: Glatzen, Bomberjacken, Springerstiefel. »Der Polizei habe ich dasselbe gesagt«, hatte der Wirt mehrmals betont, »ich würde sie nicht wieder erkennen, es war ziemlich dunkel im Lokal, denn ich hatte schon einen Teil der Beleuchtung ausgeschaltet. Außerdem sieht einer von denen wie der andere aus.« Nur den einen, der das Bier bezahlte, hatte er sich eingeprägt: einen großen Dicken mit blauen Schlitzaugen. Sie merkten wohl, dass die *Fliege* nicht die Kneipe war, die sie sich vorgestellt hatten. Deshalb verzogen sich die anderen drei gleich nach draußen und nur der Dicke blieb zurück. Er kaufte zehn Flaschen Bier, zahlte mit einem Hundertmarkschein und zog mit dem Bier ab. Wie sich später herausstellte, waren sie mit dem Auto gekommen. Sie waren allerdings nicht gleich losgefahren, sondern hatten sich drüben am Flussufer an ihr Auto gelehnt und die Flaschen gleich an Ort und Stelle geleert. Die Flaschen hatte die Polizei später am Straßenrand gefunden, wusste der Wirt zu berichten. Kurz nach den Skins sei mein Vater aufgetaucht. Er trat an die Theke, der Wirt wollte gerade abwinken und sagen, er schenke nichts mehr aus, da hielt er ihm einen Zehnmarkschein hin und fragte, ob er ihn für den Zigarettenautomaten wechseln könne. Der Wirt nahm den Schein und gab ihm zwei Fünfmarkstücke zurück, mit denen er sich aus dem Automaten im hinteren Teil der Kneipe Zigaretten holte, um dann gleich wieder zu gehen. Der Wirt sagte, er habe einen müden Eindruck gemacht, aber es sei ja auch schon spät gewesen.

Alles Weitere habe sich rasend schnell ereignet. Der Wirt hörte, wie ein Motor ansprang und ein Wagen mit kreischenden Rädern losfuhr. »Idioten!«, habe er laut geschimpft, denn irgendwie hatte er dabei gleich an die Skins gedacht. Und dann hatten er und seine Gäste auch schon die Hilfeschreie meines Vaters gehört. Der Wirt war hinter seiner Theke stehen geblieben und hatte vom Fenster aus beobachtet, wie drei seiner Gäste hinausliefen und sich am Fluss zu schaffen machten. Er hörte Schreie und lief ebenfalls kurz auf die Straße, sah, dass offenbar jemand aus dem Wasser gezogen wurde, lief sofort wieder zurück in seine Kneipe und rief einen Krankenwagen und die Polizei.

»Warum eigentlich auch die Polizei?«, fragte ich.

»Dieselbe Frage hab ich ihm auch gestellt«, sagte Kenan. »Er antwortete, er habe eben so ein komisches Gefühl gehabt wegen der Skins, irgendwie hat er die beiden Sachen sofort miteinander in Verbindung gebracht. Als er die Nummer der Polizei wählte, meinte er, habe er das ganz automatisch getan.«

»Mensch, das liegt doch auf der Hand!«, schrie Markus. »Jeder hätte die Skins damit in Verbindung gebracht, jeder, der einigermaßen bei Verstand ist!«

»Also gut, so wird es gewesen sein«, sagte Hucky, »die Skins fahren vorbei, sehen die Kneipe, halten an, gehen in die Kneipe rein, entscheiden sich dann aber spontan, ihr verdammtes Bier lieber draußen zu trinken. Das Wetter ist prima, sie haben wie üblich Durst, stellen sich neben ihre Karre und kippen sich das Zeug rein. Da sehen sie plötzlich jemanden vorbeikommen – deinen Vater …«

Über den Rest schwieg er, denn der war uns allen klar. Sie hatten meinen Vater gesehen, einen einzelnen Ausländer, einen schutzlosen Mann, alleine am Ufer entlanggehend. »Los, den schnappen wir uns!«, hatte wahrscheinlich einer gezischt, sie hatten sich auf ihn gestürzt und noch bevor mein Vater wusste, wie ihm geschah, war er ins Wasser gestoßen worden. Schwimmen konnte er ja nicht.

Der Kloß in meinem Hals kehrte zurück und machte sich wieder auf seinem alten Platz breit. »Aus irgendwelchen Gründen hat er die Skins nicht gesehen, als er in die Kneipe reingegangen ist. Vielleicht kam er von der anderen Seite«, sagte ich leise. »Sonst hätte er bestimmt einen anderen Weg genommen. Er hasst die Faschos. Außerdem war er allein. Er sagt immer, die Skins wären feige, aber wenn sie in Horden aufträten, fassten sie den Mut über jemanden herzufallen, da müsse man vor ihnen auf der Hut sein.«

»Schweinehunde«, murmelte Murat.

Ich schwieg eine Weile, rauchte und hing meinen Gedanken nach. Als ich weitersprach, kamen die Sätze wie von selbst. »Ich muss euch etwas erzählen, vielleicht werdet ihr mich für verrückt halten, mag sein, dass ich inzwischen wirklich durchgeknallt bin. Ich habe da etwas entdeckt. Es beweist, dass mein Vater mir vieles verschwiegen hat. Etwas in mir sagt, es hat mit dieser ganzen Geschichte zu tun. Ich weiß, es klingt absurd, aber ich muss es loswerden.«

Meral schenkte jetzt wieder Tee ein und lenkte mich kurz vom Weitersprechen ab. Sie hielt ein kleines Sieb über jedes einzelne Glas, bevor sie es halb mit dem aufgebrühten Tee füllte. Dann ließ sie den großen Wasserkessel gekonnt über die Gläser gleiten. Was war eigentlich der große kulturelle Unterschied zwischen Türken und Deutschen, über den jeder in diesem Land sich den Kopf zerbrach, war es vielleicht unsere Art, den Tee zuzubereiten? Störte sie, dass wir Tee anstatt Kaffee tranken? Meral spürte meinen Blick im Nacken und drehte sich unvermittelt um, da sahen wir uns wieder in die Augen, diesmal lächelte sie.

»Was, meinst du, hat dein Vater dir nicht erzählt?«, fragte Kenan sanft. An seinem Gesicht konnte ich ablesen, dass er das Augenspiel zwischen mir und Meral beobachtet hatte. Ich nahm einen tiefen Zug aus meiner Zigarette und redete drauflos: »Dauernd verschwindet er, vor allem am Wochenende. Angeblich ins Kaffeehaus, aber dort bleibt er nie lang, er sagt niemandem etwas, er geht einfach weg. Bis er wieder zu Hause ist, vergehen fünf, sechs Stunden. Was macht er in dieser Zeit? Niemand weiß es. Ich habe im Keller eine Kiste gefunden und sie aufgebrochen, hier, dieses Bild zum Beispiel« – ich legte das Foto vom Wannsee auf den Tisch, Kenan nahm es als Erster in die Hand – »Mehmet, Ali und Seyfi«, sagte ich, »kein Mensch nennt meinen Vater Seyfi. Und warum ist das überhaupt auf Deutsch? Na ja, das ist vielleicht nicht so wichtig, aber ich kann diese Leute nicht auftreiben, diesen Mehmet und den Ali. Ich werde das Gefühl nicht los, dass mein Vater uns etwas Wichtiges verschwiegen hat. Irgendetwas, worüber er nicht reden wollte oder konnte.«

»Glaubst du denn, dein Vater wollte sich umbringen?«, fragte Raschid unverblümt.

»Nein«, meinte ich, ohne mich über diese Frage zu ärgern. »Nein, das ist völlig ausgeschlossen, wirklich. Ich mag vieles über ihn nicht wissen, aber über eines bin ich mir total sicher: In welcher Klemme er auch stecken mag, er würde niemals Selbstmord begehen, nein, dafür liebt er uns zu sehr. Uns und das Leben.«

»Manchmal ist man richtig untendurch«, sagte Christian vorsichtig, »du weißt selbst nicht mehr, was du tust, totaler Black-out, so was soll's wirklich geben. Aber wenn du mich fragst, ich bin hundertprozentig sicher, dass das die Faschos waren, so 'n Zufall kann's doch gar nicht geben, Mensch, nein, die waren's! Ich gehe jede Wette darauf ein!«

»Ich auch!«, rief Murat.

»Lasst Ömer ausreden«, sagte Kenan leise.

»Ihr habt ja Recht«, sagte ich, »trotzdem quäle ich mich damit rum, ich kann einfach nicht anders, ich sag ja, ich bin völlig durch den Wind. Überall sehe ich Zeichen, überall irgendwelche Nazis, alle sind gegen mich, ich glaube, ich bin bald reif für die Klapsmühle.«

»Jetzt reiß dich mal zusammen!«, sagte Hucky. »Schütte dein Herz einmal so richtig aus, okay? Das tut immer gut.«

»Zum Beispiel Stolp«, sagte ich. Alle schauten mich verständnislos an.

»Wisst ihr, wo das liegt? In Polen. Und: Mein Vater ist da gewesen. Er flog von Istanbul nach Warschau, und zwar nicht allein.« Ich legte die Postkarte von Stolp auf den Tisch, auch sie ging genauso wie das Wannsee-Bild von Hand zu Hand, bis sie inmitten leerer Teegläser liegen blieb.

»Wann war das?«, fragte Kenan.

»Die Tickets sagen, vor zwei Jahren. Die habe ich auch in der Kiste im Keller gefunden.«

»*Tamam*, gut«, sagte Murat, »hat dein Vater irgendwelche Polen gekannt? Ich meine, es wimmelt doch in Berlin mittlerweile von Polen, er kann sich doch mit jemandem angefreundet haben, auf dem Rückweg nach Hause hat er halt mal 'nen Abstecher nach Polen gemacht, da ist doch nichts dabei!«

»Dieses gottverdammte Stolp liegt am Arsch der Welt, okay?«, fuhr ich ihn an. »Ich hab im Atlas nachgeschlagen, es liegt im Norden, fast schon an der Ostsee. Ich kann mir beim besten Willen nicht vorstellen, dass mein Vater sich mit irgendwelchen Polen auf der Straße anfreundet, und zwar so dick, dass er sie anschließend zu Hause besucht. Sich zuerst ein Visum im polnischen Konsulat besorgt, dann mit jemandem zusammen von Istanbul nach Warschau fliegt und von da aus in den Norden in dieses gottverdammte Stolp fährt, Gott weiß wie.«

»Vielleicht haben ihn seine Bekannten in Warschau abgeholt«, sagte Markus.

»Ach was!«, schrie ich ihn beinahe an. »Wer soll ihn denn abgeholt haben? Außerdem schimpft mein Vater immer über die Kommunisten. Als die Mauer fiel, sagte er, ›die Nachtigallen sind endlich frei‹, was auch immer das bedeuten mochte. Ich weiß nur, dass er nicht gerne in den Osten fuhr, geschweige denn nach Polen. Wir saßen zusammen vor dem Fernseher, als sie die Bilder aus Rostock und Hoyerswerda brachten, weinende, fliehende Menschen und Horden von grölenden Nazis, er schüttelte ständig den Kopf und murmelte: ›Schweine, alle miteinander, immer auf die Schwächeren hauen.‹ Und nun erfindest du polnische Bekannte, die er in ihrem Kaff besucht haben soll! Kannst du mir auch sagen, was er mit ihnen dort getan hat?«

»Jetzt mal langsam!« Hucky hielt eine Hand zwischen uns, als ob er verhindern wollte, dass wir uns gegenseitig an die Gurgel gingen. »Du findest 'ne Kiste im Keller und brichst sie mit Gewalt auf. Du entdeckst ein Foto von deinem Vater mit zwei Freunden am Wannsee, eine Postkarte von diesem Stolp und zwei Tickets von Istanbul nach Warschau, richtig?« Ich antwortete nicht und er fuhr fort: »Jetzt fragst du dich, was dein Vater dort gesucht hat, mit wem er dahin gefahren ist und warum. Richtig?«

»Ja, ja, ja!«, sagte ich genervt.

»Das mit den Kommunisten ist übrigens Quatsch. Die Polen sind eher katholisch als kommunistisch, denk an den Papst«, sagte Murat.

»Ich hab ja gesagt, dass ich nicht mehr klar denken

kann.« Ich fing an heftig zu husten, Kenan klopfte mir auf den Rücken.

»Etwas merkwürdig ist das schon«, sagte er beschwichtigend, »ich würde mir auch Gedanken machen, wenn ich so etwas zwischen den privaten Sachen meines Vaters gefunden hätte, trotzdem verstehe ich nicht, warum du eine Reise, die zwei Jahre zurückliegt, mit den Ereignissen von heute in Verbindung bringst.«

»Es ist nur so 'n Gefühl«, sagte ich. »Schau mal, das zweite Ticket ist auf den Namen meiner Mutter ausgestellt. Aber sie kann gar nicht mit dabei gewesen sein. Mein Vater flog in den letzten zwei Jahren im Sommer nämlich allein in die Türkei, weil er meinte, wir könnten uns im Moment nicht alle einen Urlaub leisten. Meine Mutter hat ja keine näheren Verwandten mehr da, Adnan muss sich um sein Lokal kümmern und mir ist es ziemlich egal, ob ich mitfahre oder nicht – was beweisen aber diese Tickets? Er hat uns angelogen!«

»Nein, er hat nur nicht alles erzählt. Das ist ein Unterschied. Du erzählst ihm doch auch nicht alles, oder?«

Kenan mochte Recht haben, ich war trotzdem nicht befriedigt. Andererseits wusste ich nicht mehr, was ich sagen sollte. Ich ließ den Kopf in meine Hände fallen und schloss die Augen. Das Blut pochte in meinen Schläfen wie verrückt, ich fühlte, wie es in Sekundenschnelle durch meinen Körper in den Kopf und zurück schoss. Ich war nicht verärgert über meinen Vater, wie konnte ich das sein, wenn er so schutzlos im Krankenhaus lag, aber ich fühlte mich von ihm verraten. Gut, ich verschwieg ihm auch einiges, aber ich kannte meine eigenen Geheimnisse, seine jedoch nicht. Wie hatte er so wichtige Dinge vor uns verschweigen können? Hielt er mich für zu dumm, um es zu verstehen? Hatte er mir deshalb nichts erzählt?

»Also gut«, sagte Murat und riss mich aus meinen Gedanken. »Ich nehme das Auto meines Vaters und fahre morgen früh nach Polen, wenn du das willst.«

»Ich fahre mit!«, sagte Hucky.

Ich strich mir durch die Haare und schloss einen Moment die Augen. Als ich sie wieder aufmachte, saß ich immer noch in diesem unwirklichen Raum, die Pantheraugen starrten mich immer noch durch Rauchschwaden an, Meral stand immer noch an der Spüle und die anderen saßen um mich herum und warteten auf meine Antwort. Eine merkwürdige Verlegenheit war aus ihren Augen abzulesen. Vielleicht hielten sie mich tatsächlich für verrückt, es war ihnen peinlich, es mir offen ins Gesicht zu sagen, deshalb waren sie bereit mir diesen kindlichen Wunsch zu erfüllen, wenn es mich nur glücklich machte.

»Ach, das hat doch keinen Sinn«, sagte ich resigniert. »Wir wissen nur, dass mein Vater mit jemandem zusammen nach Warschau geflogen ist. Als er sagte, er käme aus dem Urlaub zurück, kam er nicht aus Istanbul, sondern aus Polen. Aber Polen ist verdammt groß. Nein, ich bin verrückt, ich weiß. Außerdem, wer sagt denn, dass er wirklich in diesem Stolp war?«

Nun trat eine Stille ein, aber Kenan ließ sie nicht lange währen. »Hucky und Murat sollen morgen fahren. Denn dein Vater war in Stolp, aus welchem Grund auch immer, daran gibt es überhaupt keinen Zweifel. Er ist mit irgendjemandem, der trotz des Namens auf dem Ticket nicht deine Mutter war, von Istanbul nach Warschau geflogen, und es deutet alles darauf hin, dass er nach Stolp weitergefahren ist, bevor er zurück nach Berlin kam.«

Während er sprach, zog sich Meral an und verabschiedete sich von ihren Freunden. Als sie dem kleinen Jungen folgte, der sie zum Ausgang begleitete, drehte sie sich um und schaute mich mit einem Blick an, der sofort meinen Bauch hinunterglitt. Ich wäre am liebsten aufgestanden und ihr hinterhergelaufen. Als sich die Tür hinter ihr schloss, hatte sich das Lokal für mich geleert.

»Polen ist nicht klein, aber Stolp ist bestimmt noch größer, wenn man jemanden oder etwas sucht, von dem man nichts weiß ...«

»Christian hat Recht«, sagte ich müde, »vergesst das, okay?«

»Kann ich die Postkarte ein paar Tage behalten?«, fragte Hucky.

»Ihr wollt doch nicht wirklich da hinfahren, oder?«

»Klar wollen wir das. So wie du das beschrieben hast, sind wir in fünf, sechs Stunden dort. Und dann sehen wir weiter.«

Ich hatte keine Kraft mehr, ihm zu widersprechen. Es war spät geworden. Als wir zahlten, ließen wir uns ein Taxi rufen, das mich, Kenan, Christian und Markus nach Hause bringen sollte, die anderen wohnten alle in Kreuzberg und gingen zu Fuß heim. Die frische Luft tat uns allen sehr gut. Ich atmete ein letztes Mal tief ein, bevor ich mich nach vorne neben den Fahrer setzte. Er fragte wie selbstverständlich auf Türkisch: »Abi, was gab's denn heute Abend an frischem Fisch bei Ahmet?« Ich antwortete ohne zu zögern mit: »Hamsi. Waren aber nicht besonders fett.«

VIII

Seyfullahs Welt ist von Geistern besetzt. Wenn er sich mit Margret liebt, sitzt Meryem auf der Kante des Doppelbettes und strickt. Zu Hause bei ihr schallt Margrets Lachen durch den Flur. Laila, die schon längst kein kleines Mädchen mehr ist und ein Kunststudium angefangen hat, kuschelt sich in Seyfullahs Schoß, wenn er still seinen Raki trinkt, während Ömer am anderen Tischende seine Hausaufgaben macht und Adnan auf seiner Gitarre klimpert. Auch seine Eltern kommen oft zu Besuch, seine vor achtzehn Jahren verstorbene Mutter, sein bettlägeriger Vater. Wann, fragt er fortwährend, wann kommst du zurück, mein Sohn, wann kommst du endlich zurück?

Ach, Vater, zurückkommen? Wohin?

Die Jahre sind vergangen wie im Flug, das Leben ist immer woanders gewesen, jedoch nie dort, wo Seyfullah sich gerade aufgehalten hat. Die Geister, die jetzt seine Häuser bevölkern, gemahnen ihn nur an die Fehler, die er offensichtlich in seinem Leben gemacht hat, aber hat er sie denn absichtlich begangen? Nein. Es hat sich nur alles so ergeben.

Jemand, der da oben sitzt, hat eines Tages Langeweile

gehabt und gesagt: »Nun werde ich aus diesem Seyfullah mehrere Menschen machen.« Er nahm ein Messer in die Hand, von der Sorte, mit denen Fleischer die Filetstücke vom Knochen lösen, spitz und lang, und hat ihn damit in ungleiche Stücke zerhackt: Ein großer Teil von ihm blieb in den Wäldern des sonnigen Taurusgebirges zurück, damit er weiterhin jedes Wochenende jagen gehen kann. Ein anderer Teil von ihm gehört Margret, ihrem Lachen, ihren Händen, Augen, ihrem Mund. Und dem wunderschönen Mädchen, das sie aus ihren schweißgebadeten Körpern geschaffen hat. Ein anderer großer Teil, ja vielleicht der größte, ist immer mit seinen Söhnen zusammen, auf die er so stolz ist, besonders mit Ömer, einem klugen, guten Jungen, noch sehr unfertig, aber das kommt noch – und mit der guten, stillen, geduldigen Meryem. Sie hätte einen besseren Mann verdient, Gott weiß. Ein weiterer Teil von Seyfullah steht an langen Tagen und Nächten am Fließband und ist zu einem Automaten mutiert, der freudloseste Teil von ihm. Diese Teile haben alle ihren eigenen Rhythmus, ihre völlig entgegengesetzten Wünsche und Hoffnungen, Seyfullah versucht schon lange nicht mehr, sie gewaltsam zusammenzubringen, nein, dazu wäre auch wieder nur derjenige fähig, der ihn zerstückelt hat.

Seyfullah sitzt bei seinem Raki am Tisch und denkt darüber nach, wer für alles verantwortlich ist – je älter er wird, desto mehr denkt er über den Tod nach, was ist, wenn drüben tatsächlich ein Gericht abgehalten und auch er für seine Fehler bestraft wird? Habe ich sie nicht alle angelogen? Habe ich nicht aus meiner Unfähigkeit heraus, all meine Teile wieder zusammenzuschrauben, diesen Geistern grenzenlose Freihei-

ten gelassen, habe ich mir diese Welt nicht selbst eingebrockt, indem ich weder den einen noch den anderen die Wahrheit zu erzählen vermochte? Man soll seine eigenen Fehler nicht Gott in die Schuhe schieben, beschließt Seyfullah, aber trotzdem gab es von Anfang an eine Gesetzmäßigkeit in dem, was er tat, nur hat er dieses Gesetz nicht selbst geschrieben. Wer schrieb es? Gott? Die Maschinen, an denen er sein Leben verbrachte? Oder war es das Geld, hinter dem alle unaufhörlich herjagten? Waren es seine Ungeduld, sein Fernweh, seine Sehnsucht nach etwas, das er nicht näher bestimmen konnte, das ihn jedoch nie verließ? Ja, diese große Sehnsucht über die schneeweißen Gipfel der Berge bis dahin, wo die Welt endete. Dann glitt sie über endlose Schienen und trug ihn ans Meer, das die Unendlichkeit in seinen Tiefen verbarg, eine erschreckende und faszinierende Ferne. Der Quelle meiner Sehnsucht bin ich ein ganzes Leben hinterhergereist, denkt Seyfullah, um am Ende doch nur zu entdecken, dass sie ganz woanders, nämlich in seinem geschundenen und zerbrechlichen Leib selbst steckt, vielleicht in diesem übervölkerten Herzen, vielleicht auch in seinem Blut. Er spürt, dass er sie mit ins Grab nehmen wird, ohne sie je gestillt zu haben.

Die Ereignisse der nächsten Tage und Wochen sind so geballt, dass ich nicht weiß, wo ich anfangen soll zu erzählen. Ich sehe alles wie einen schnellen Film vor meinen Augen ablaufen, ich versuche, ihn aufzuhalten, das Quadrat bleibt einige Sekunden auf der Leinwand stehen und brennt dann langsam ab. Übrig bleibt ein schwarzes Loch in der Mitte mit verschwommenen, geschwärzten Rändern. Vielleicht fange ich einfach mit Kommissar Löbel an, denn schließlich war er es, der den Fall zur Lösung brachte. Nicht einmal die Spürhunde der Zeitungen waren in der Lage gewesen die komplizierten Zusammenhänge zwischen den Orten und Personen herzustellen, aber ihm gelang es.

Murat hatte nicht daran gedacht, dass er ein Visum für Polen brauchte, deshalb lieh er am nächsten Mittag kurzerhand den roten BMW seines Vaters an Hucky aus, der damit gleich nach Stolp losdüste. Ich versuchte mittlerweile, gar nicht daran zu denken, denn es war mir peinlich, wegen eines so närrischen Verdachtes den ganzen Bund durcheinander gewirbelt zu haben. Was mochten sie nur über mich denken? Über unsere ganze Familie? Aber der Stein rollte nun einmal, es war zu spät. So ging ich am nächsten Tag zur Schule und saß in Klassenzimmern herum, ohne ein Wort von dem zu verstehen, was die Lehrer erklärten, nicht einmal Heine konnte mich aus meiner Lethargie herausholen. Danach ging ich mit Kenan meinen Vater besuchen – meine Mutter lag mit höllischen Kopfschmerzen im Bett und wurde von den Nachbarinnen versorgt. Ich gab Kenan als meinen Bruder aus, deshalb durfte er mit rein. Als wir gerade die Intensivstation verließen, begegneten wir Kommissar Löbel. Er hatte mich gesucht und erfahren, dass ich im Krankenhaus war.

»Wie geht es ihm?«, fragte er und deutete mit dem Kopf auf die Tür, hinter der mein Vater immer noch bewusstlos lag.

»Er wacht nicht auf«, sagte ich leise.

Wir gingen wortlos hinaus. »Ich würde dich gerne einen Moment sprechen«, sagte er. »Hast du Zeit?«

»Natürlich.«

Wir überquerten die Straße und gingen auf ein Café zu.

»Könnte ich dich unter vier Augen sprechen?«, flüsterte er in mein Ohr.

»Kenan ist mein bester Freund«, antwortete ich.

Er zuckte mit den Achseln, so gingen wir alle drei hinein und setzten uns an einen Tisch am Fenster. Nachdem er für uns Kaffee und eine Kleinigkeit zum Essen bestellt hatte, wandte er sich zu mir und sagte: »Ich bin ohne Vater aufgewachsen. Er ist im Krieg gefallen, als ich noch in den Windeln lag. An der Ostfront. Ich bin mit meiner Mutter erst kurz vor dem Bau der Mauer in den Westen gekommen und habe es bis jetzt auch nie bereut. Aber ich weiß, was es heißt, irgendwo fremd zu sein. Denn hier haben sie uns damals nicht anders behandelt als euch heute, wie unerwünschte Eindringlinge, Störenfriede ...« Er hob seine Augenbrauen und machte ein Gesicht, als ob er nach den passenden Worten suchte, wie jemand, der eine wichtige Rede vor einem sensiblen Publikum hält und dabei irgendwelchen Missverständnissen vorbeugen möchte. »Wir sind wie die Marathonläufer«, sprach er weiter, »wenn die anfangen zu laufen, haben sie nur ein Ziel vor Augen: zu gewinnen. Aber die Strecke ist verdammt lang, und je länger sie laufen, desto weniger können sie denken. Mit der Zeit gehen die Füße von selbst. Am Ende wird das Laufen selbst zum Zweck, und das Ziel entfernt sich mit jeder neuen Etappe weiter von dem Läufer, man läuft und läuft, ohne zu wissen, wann und wo man je ankommen wird ...«

»Haben Sie heute schon einen Blick in die Zeitungen geworfen?«, unterbrach ich ihn schroff, denn nach dem Besuch bei meinem Vater fiel es mir nicht leicht, seinen philosophischen Ausführungen zu folgen. Hucky war unterwegs nach Stolp, und zwar nur deshalb, weil die Polizei keinen Schritt vorangekommen war. »Sogar die deutschen Zeitungen fragen, warum der Fall noch nicht gelöst ist. Haben Sie gelesen, was die ausländischen schreiben?«

»Ja, ja«, sagte er ungeduldig, »die Alliierten lassen grüßen. Als ob wir nicht selbst ein großes Interesse daran hätten, den Fall aufzuklären!« Er wurde böse, fing sich aber sofort wieder. »Ich bin auch gekommen, um dir – darf ich dich überhaupt duzen? Also gut, ich wollte dir von einigen Gedanken erzählen und ein paar Fragen stellen.« Er quälte sich offensichtlich damit, die Worte kamen sehr schwer über seine Lippen. »Erinnerst du dich daran, wie ich dir sagte, dass niemand so einfach gestrickt ist, wie wir glauben? Dein Vater ist keine Ausnahme, auch er scheint ... nun, wie soll ich es sagen, er scheint ...«

»... Geheimnisse vor uns zu haben? Wollen Sie mir das sagen?«

Er blieb einen Moment mit offenem Mund sitzen und starrte uns abwechselnd ins Gesicht. »Kommt darauf an. Welche Geheimnisse meinst du denn?«

»Ich weiß es nicht, sagen Sie's mir doch.«

Mit dem üblichen zartbitteren Lächeln ließ er seine

Schultern fallen, faltete wie immer seine Hände über dem Tisch und senkte die Stimme: »Ich glaube, dein Vater hat ein Leben gelebt, von dem viele Männer nur träumen können. Es war ein hartes Leben, gewiss, die Entwurzelung und alles, aber er hat versucht, alle seine Teile zusammenzubringen. Wem von uns gelingt das schon? Ich habe es jedenfalls nicht geschafft.« Er legte eine kurze Pause ein. »Ich weiß nicht einmal, ob ich es je ernsthaft versucht habe.«

»Was meinen Sie denn mit ›all seinen Teilen‹?«, fragte Kenan.

»Es gibt Lücken«, antwortete Löbel, »Lücken im Zeitablauf. Nicht nur am Tag des Unfalls, sondern auch davor. Stunden, die nicht zu erklären sind. Vielleicht sogar Tage und Wochen. Orte, an denen er war, von denen wir aber nichts wissen – noch nicht«, fügte er etwas lauter hinzu. »Das erschwert uns die Aufklärung dieses Falles.« Er sah mir direkt in die Augen: »Ich weiß, die Skins sind die wichtigsten Figuren in diesem Spiel. Sie sind es wirklich und wir konnten sie immer noch nicht ausfindig machen. Aber wir sind nahe daran«, sagte er nicht ohne einen gewissen Stolz, »bald schnappe ich mir diese Kerle!« Der Ton, in den er plötzlich verfiel, machte einen gewöhnlichen Polizeibeamten aus ihm, dessen einziger Ehrgeiz es ist, die Täter zu finden und den Fall aufgeklärt zu den Akten zu legen. Aber seine Miene veränderte sich von neuem, als er weitersprach: »Trotzdem gibt es etwas anderes, etwas unter der Oberfläche, auf der wir uns bis jetzt bewegt haben. Ich könnte schwören, dass es etwas sehr Persönliches ist.«

Dabei sah er mir forschend ins Gesicht, als ob er eine kleine Regung entdecken wollte, die ihn auf eine neue Fährte bringen würde. Aber ich war entschlossen, ihn aus diesem Spiel herauszuhalten.

»Und ich dachte, Sie haben wichtige Nachrichten für uns. Das sind ja nichts als Vermutungen.«

»Und ich dachte, du könntest mir vielleicht helfen, diese Stunden und Tage aufzuklären, die uns in der Biografie deines Vaters fehlen.«

»Selbstmord hat er jedenfalls nicht begangen«, sagte ich ruhig, »falls Sie darauf spekulieren sollten – so leicht ist die Ehre der Nation nun doch nicht zu retten.«

»Ich habe nicht einen Moment daran gedacht, dass dein Vater sich umbringen wollte. Wenn er das vorgehabt hätte, hätte er es auf eine andere Art und Weise gemacht. Jemand, der solch eine Angst vor dem tiefen Wasser hat, stürzt sich nicht in den Fluss, um sich das Leben zu nehmen, meinetwegen erschießt er sich oder läuft vor ein Auto, was weiß ich, aber er springt nicht ins Wasser.«

Das Gespräch ermüdete mich ungemein und ich ließ es mir gerne anmerken. Auch Kenan rutschte ungeduldig auf seinem Stuhl hin und her. »Wenn das alles ist, dann würden wir jetzt gerne gehen«, sagte ich. Während er bezahlte, standen wir auf und gingen vor die Tür. Erst dann bemerkte ich, wie rot Kenan im Gesicht geworden war. »Was ist los?«, fragte ich ihn. »Lass doch den, er weiß weniger als wir.« Ich wusste natürlich nicht, dass er aus einem völlig anderen Grund verlegen geworden war. Das würde ich aber bald erfahren.

Ich trennte mich von Kenan an unserer Haustür. Er hatte darauf bestanden, mich bis nach Hause zu begleiten.

Nach dem Abendessen ließ ich meine Mutter mit ihrem Gebet allein und ging in mein Zimmer. Ich setzte mich an den Computer, nicht um zu arbeiten, sondern um zu spielen.

Mein Kopf war völlig leer. Mechanisch drückte ich auf die Maus, bewegte die Backgammonsteine auf dem Brett und gewann jedes zweite Spiel mit doppelter Punktzahl. Dabei dachte ich ständig an Hucky und fragte mich, was er gerade in Polen machte. Ich bereute es sehr, diesem Vorschlag nicht widersprochen zu haben, denn ich hatte große Angst vor dem, was er dort herausfinden könnte. Dann dachte ich wieder, dass es sowieso ein sinnloses Unternehmen war, was sollte er dort schon machen, wen sollte er treffen, es gab nicht einen einzigen Anhaltspunkt. Aber Hucky war tüchtig. Er war auch intelligent. Wenn es jemandem gelingen würde, dort etwas über den Besuch meines Vaters herauszubekommen, dann war es Hucky.

Eine weitere schlaflose Nacht erwartete mich. Als ich es in der stickigen Wohnung nicht mehr aushielt, schnappte ich mir die Lederjacke und ging raus. Ich radelte über die Kantstraße zum Savignyplatz und überlegte kurz, ob ich bei Adnan reinschauen sollte, aber ich hatte keine rechte Lust dazu. Die Cafés und Kneipen waren wieder überfüllt, die Leute standen in Gruppen unter den großen italienischen Sonnenschirmen und verursachten einen Heidenlärm. Ich schlängelte mich durch die Autoreihen, bog vor dem Kaufhaus des Westens in die Nürnberger Straße ein und machte vor dem *Diwan* Halt, als ich sah, dass es wieder geöffnet hatte. Wir hatten uns zwar nicht verabredet, aber vielleicht würde ich hier jemanden treffen, und wenn nicht, dann stellte ich mich einfach an die Theke und trank ein Bier.

Schon auf den ersten Blick wurde mir klar, dass ich keinen Platz an einem Tisch finden würde, so bahnte ich mir durch die Menschenmassen einen Weg zur Theke und zwängte mich in eine Lücke. Nachdem ich mein Bier bestellt hatte, drehte ich mich um und ließ den Blick über die Tische schweifen. Und da war sie. Meral. Sie saß ganz hinten, vor dem großen Spiegel mit dem Goldrahmen auf der Samtcouch. Sie hatte sich richtig herausgeputzt, aus dem Mädchen mit dem schweren Rucksack und den verwaschenen Jeans war eine hübsche Frau geworden. Sie trug einen tief dekolletierten Baumwollpullover, der ihren Schwanenhals großartig zur Geltung brachte, und einen ziemlich kurzen Rock. Sie hatte ihre langen Beine lässig neben dem Tisch übereinander geschlagen und unterhielt sich rege mit einem Mann, den ich nicht erkennen konnte, denn er saß mit dem Rücken zu mir, und ungefähr zwanzig andere Tische versperrten mir den Blick auf ihn. Sie hatte mich natürlich nicht gesehen. So konnte ich in Ruhe mein Bier trinken und sie beobachten. Der Kerl hielt ihre Hand, sie ließ ihn damit spielen und nippte an einem bunten Cocktail. Nach einer halben Stunde und dem zweiten Bier sah ich plötzlich Raschid in der Tür. Auch er blieb erst stehen und schaute sich suchend um, aber er wurde offensichtlich fündig, denn er kämpfte sich sofort einen Weg in Richtung von Merals Tisch frei. Als er dort ankam, stand Merals Freund auf, um vom Nebentisch einen Stuhl für Raschid heranzuziehen. Es war kein anderer als Kenan.

Ich schloss meine Augen und hörte dem Konzert der Vögel im Morgengrauen zu. Einen schrecklichen Traum hatte ich in der kurzen Zeit gehabt, in der ich angezogen auf meinem Bett geschlafen hatte. Ich träumte vom Savignyplatz und den lärmenden Menschenmassen, ich lief von einer Kneipe zur anderen und suchte verzweifelt nach meinem Vater, der plötzlich verschwunden war. Dann bemerkte ich, dass mich alle merkwürdig anstarrten. Sie zeigten mit dem Finger auf mich und unterhielten sich in einer Sprache, die ich nicht verstand. Ich sah auf meinen Körper herunter, ich blutete. Ich war schwer verletzt und musste so schnell wie möglich in ein Krankenhaus gebracht werden. Ich fühlte mich sehr schwach, ich verblutete und niemand half mir. Ich sah plötzlich alle meine Freunde an einer Kneipentür stehen, die große Ähnlichkeit mit dem Eingang des *Diwan* hatte, nur war die Glasfassade statt mit gehäkelten Bistrogardinen mit grellem Neonlicht geschmückt. Kenan, Raschid, Hucky, Christian, Markus, Murat, alle waren da, sie beobachteten mich wie einen Fremden und unternahmen nichts. Ich wollte um Hilfe schreien, aber der Kloß in meinem Hals blockierte meine Stimme, ich brachte keinen Ton heraus, niemand bewegte sich, sie sahen nur ruhig zu, wie ich langsam starb.

Die Vögel sangen an meinem Fenster vom Leben. Ja! Ich wollte leben! Es war mir völlig egal, wie, Hauptsache, ich lebte. Ich machte das Fenster weit auf, atmete tief durch, ging in die Küche, bereitete mir einen heißen Tee, warf eine dicke Scheibe Zitrone hinein, nahm die Tasse mit, legte eine CD von Dave Brubeck ein und legte mich mit Kopfhörern erneut ins Bett. Während ich den sanften Tönen des Klaviers lauschte, träumte ich in einer Art Halbschlaf vom Süden. An wie vielen Tagen und Abenden hier, bei ihm zu Hause oder in Kneipen hatte ich mit Kenan davon geträumt, nach der Schule alles hinzuschmeißen und uns im Süden, irgendwo am Meer niederzulassen. Wir würden uns ein Boot bauen, mithilfe der Fischer in Halikarnassos, wo mein Vater das kleine Häuschen inmitten von Mandarinengärten gekauft hatte, wir würden jeden Tag in der Abenddämmerung hinausfahren und angeln, in der Touristensaison würden wir die Leute – natürlich nur die, die uns gefielen – zu den nahe gelegenen Buchten fahren, in denen niemand wohnte. Kenan liebte das Schöne noch mehr als ich. Aber weshalb stimmte mich das alles jetzt so traurig? Weil er sich an mein Mädchen herangemacht hatte? Sie war doch gar nicht mein Mädchen. Aber sie hätte es werden können. Das musste er doch gefühlt haben. Plötzlich wurde mir klar, dass ich eher auf sie eifersüchtig war als auf ihn. Wie er mit ihrer Hand spielte, ihre Finger einzeln streichelte, ganz behutsam, als ob er nichts zerbrechen wollte, typisch Kenan, er konnte sehr zärtlich sein. Ich fühlte mich von ihm verlassen. Sie durfte sich nicht zwischen uns schieben. Ich hatte mich die ganze Zeit geirrt, es war also Kenan gewesen, dem sie nachschaute, einladende Blicke hinterherwarf. Wenn ich ehrlich sein sollte, konnte ich es ihr nicht einmal übel nehmen, von uns beiden hätte ich auch lieber Kenan genommen.

Dich, Kenan, dich, meinen Freund.

Und was wird jetzt aus unserem Leben?

Warum sind wir so in unserer Welt gefangen und schlagen uns mit Fragen herum, die nicht einmal den Kern einer Feigenfrucht füllen würden, wie mein Vater es sagen würde? Wir scheinen alle zu müde zu sein, um das Wesentliche zu erkennen. Müde Menschen in nichts sagenden Städten, die nur noch aus Einkaufszentren bestehen, das Einkaufen ist unser Lebensinhalt geworden, wir kaufen uns alles, das Hemd, den Film, die Musik, das Wort, überall in unseren schicken Städten ragen riesige Konsumtempel in den Himmel wie einst die Zikkurats und Pyramiden. Die Abteilungschefs sind unsere Hohepriester und die Verkäufer unsere Beichtväter geworden. In tausenden von Jahren werden sie die Reste dieser Gemäuer finden und sich fragen, was die Menschen in ihnen aufbewahrt haben – welches Heiligtum, das sie anbeteten, für das sie ihr Leben opferten. Unser Leben ist eine einzige gerade Linie ohne einen Endpunkt, eine Bewegung ohne Ziel, Löbel hat schon Recht. Wir pflegen unseren Körper und wissen nicht mehr, wofür wir ihn brauchen. Unser Körper ist Selbstzweck geworden, so ziehen wir ihn an, rasieren und waschen ihn, halten ihn fit; gelegentlich, wenn uns überhaupt noch danach ist, überlassen wir ihn seinen eigenen Instinkten, aber mit dem großen Unbekannten, der darin wohnt, haben wir nichts mehr zu tun. Steckt in unseren Körpern überhaupt noch etwas, das Anstocks geliebter Goethe den Geist nannte? Nein. Ich glaube, vor lauter Langeweile haben sich unsere Geister von uns losgesagt und sind einfach auf einen anderen Planeten ausgewandert. Dahin, wo es keine Pässe und Grenzen gibt.

Ich schloss meine Augen und träumte weiter. Es war eine dieser lauen Mainächte, nicht einmal eine kleine Brise gab es, die uns störte. Ich hatte den Geruch des Meeres in der Nase, den salzigen Atem der blauen Tiefen, Kenan, sie umhüllen unsere Körper, umspülen unsere Gesichter, wir schmecken das Meer auf unserer Haut, das Meer, nach dem du dich immer so sehnst, lass uns dahin gehen, wo es zum Greifen nahe ist.

Wir sitzen auf einer Terrasse unter grünen Blättern und hören unseren Liedern zu. Sie sind vertraut wie das Gesicht der Mutter, sie haben keinen Anfang und kein Ende, sie sind schon immer da gewesen, und stell dir vor, es gibt jetzt niemanden um uns herum, dem wir sie übersetzen müssen, auch du hast endlich verstanden, wovon sie erzählen. Diese schweren Rhythmen, diese dunklen Stimmen, sie rufen immer nur nach den Sinnen ... Kenan! Lass uns leben! Lass uns dahin gehen, wo wir endlich frei sind, frei! Stell dir vor, wir schauen gemeinsam auf den Horizont und sehen statt dieser endlosen grauen Fassaden tausende von kleinen Lichtern, sagen wir mal, sie gehören zu der gegenüberliegenden Insel, weißt du, mein Vater sagt, je nach Windrichtung würde eine Insel einmal nah, einmal fern erscheinen. Sogar die Entfernungen sind relativ, Kenan, wusstest du das schon?

Ich lag in meinem Zimmer auf dem Bett, hielt die Augen geschlossen und träumte jetzt den Traum, den ich mir selbst ausgesucht hatte, wie früher, ich hatte es schon immer geliebt, hellwach im Bett zu liegen und mir Träume zusammenzubasteln. Ich stellte mir vor, wie wir auf dem Sand liefen, und fühlte, wie er unsere Füße liebkoste; wir hatten beide ganz schwere Körper vom Schwimmen und schauten respektvoll zu den Sternen hinauf – du würdest mir alle Namen nennen und ich würde wie immer sehr stolz auf deine Freundschaft sein, Kenan, mein Freund. Wir sind nicht zu spät geboren worden, nein, da irrst du dich, wir kamen eher zu früh auf die Welt, ich weiß, wie gern du da oben herumirren würdest … Allein hätte ich Angst davor, aber mit dir, schon.

Kenan. Stell dir vor, wir sitzen am Strand und schauen hinaus, bis zum Horizont. Was für ein wunderbarer Platz wäre das, um zu erkennen, dass die Erde rund ist, dass sie klein ist, ein Stern unter vielen, ein Staubkörnchen im Universum, wie du immer sagst, und du und ich, Kenan, das stimmt, wir sind wirklich nur ein paar armselige Wesen, gestern geboren und heute schon im Begriff zu vergehen. Du hast ja so Recht, Kenan, wir haben eben keine Flügel, sondern nur Beine, wir sind fähig die Ewigkeit zu umarmen, um dann nur zuzuschauen, wie sie durch unsere Finger rinnt.

Mein Vater sagt immer, es sei nicht eine Frage von Entweder-Oder, er wolle beides. Ich weiß nicht, was er damit meint, doch es klingt schon richtig. Aber wir, Kenan, wir wollen alles! Glaub mir, wir werden es auch bekommen. Wenn nicht hier, dann am Meer, denn dort wissen die Menschen alle, dass sogar die Entfernungen relativ sind.

Natürlich nur, wenn wir es immer noch wollen.

Das Telefon klingelte. Ich hörte meine Mutter »Ja, er ist zu Hause« sagen. »Ich rufe ihn. – Ja, danke, gut. Ömer ist etwas krank und konnte heute nicht kommen.« Ich vernahm dunkel, dass sie meine Tür aufmachte und mich mit besorgten Augen beobachtete, bevor sie ihre Hand auf meine Schulter legte. »Kenan ist am Telefon«, sagte sie leise, »er hat sich Sorgen gemacht, weil du heute nicht zur Schule gegangen bist.«

Ich drehte mich zu ihr um. Sie lächelte mich an. Wie schön sie immer noch aussah. »Geh ans Telefon«, sagte sie gütig, »lass deinen Freund nicht warten.«

»Wie spät ist es?«

»Das Mittagsgebet ist schon vorbei, bald wird es zwei Uhr.«

»Ömer!«, rief Kenan aufgeregt aus der Ferne. »Mensch, ich hab mir Sorgen gemacht! Warum bist du heute nicht gekommen?«

»Wieso?«, fragte ich kalt. »Gab's denn was Wichtiges?«

Einen Moment lang war es sehr still in der Leitung.

»Nein, eigentlich nicht«, sagte er, »aber ... bist du krank? Deine Mutter meinte, du seist krank.«

»Ich bin nicht krank. Aber es geht mit auch nicht blendend, okay?«

Wieder eine Pause.

»Ömer, was ist denn los?«, fragte er nun noch besorgter. »Kann ich zu dir kommen? Ich bin in 'ner halben Stunde da.«

Wir liefen am Wannsee entlang und fanden einen Platz, wo wir uns in die Sonne legten und die Augen schlossen. Nichts bewegte sich. Die Vögel sangen immer noch weiter, gelegentlich hörten wir ein Boot vorbeifahren. Das Wasser war wie Öl, geschmeidig, schwer, friedlich. Kenan stützte seinen Kopf auf eine Hand und spielte mit dem Gras. Er riss einzelne Halme aus und warf sie auf meinen Bauch. »Du hast aber lange geschlafen heute«, sagte er, »warst du gestern Abend aus?«

»Ja.«

»Bei Adnan im Lokal?«

»Nein.«

»Wir waren im *Diwan*«, sagte er. »Ich hab dort Raschid getroffen. War unheimlich voll gestern, kein Wunder, bei dem Wetter.«

Ich antwortete nicht. Wir lagen eine Ewigkeit im Gras und ließen uns von der Sonne bis in die innersten Zellen wärmen.

»Weißt du was?«, sagte er. »Ich hab mich gestern Abend mit einem Mädchen getroffen, sie heißt Meral. Sie rief mich an, weiß nicht, woher sie meine Nummer hatte, jedenfalls gingen wir zusammen aus. Sie ist von zu Hause fort und lebt allein. Weiß nicht recht, was sie machen soll.«

Ich hielt die Augen geschlossen und gab keine Antwort.

»Vielleicht hast du sie auch schon mal gesehen. Sie war an dem Abend auch bei Ahmet. Hübsches Gesicht, kurzes schwarzes Haar, schlanke Figur …«

»Na und? Du gehst doch andauernd mit Mädchen aus. Ist sie denn etwas Besonderes?«

»Nein«, sagte er mit einem Gemisch aus Verwunderung und Stress in der Stimme, »sie sieht interessant aus, aber eigentlich ist sie genauso wie die anderen.«

»Wie sind denn die anderen?«

»Oberflächlich. Sie machen sich über nichts Gedanken. Ich hab das Gefühl, sie haben ihren Geist an der Garderobe irgendeiner Disko abgelegt und finden ihn nicht wieder.«

Ich sprang auf. »Weißt du was? Du gehst mir unheimlich auf die Nerven! Woher nimmst du eigentlich diese Arroganz? Du hältst dich immer für etwas Besseres, nicht wahr? Du bist der Klügste, der Größte, ja, der Beste!«

Ich glaube, in dem Moment hätte ich ihn sogar schlagen können, wenn er mir geantwortet, wenn er auch nur ein einziges Wort gesagt hätte, aber er blieb einfach im Gras liegen und schaute mich mit seinen großen dunklen Augen an. Dann geschah etwas völlig Unerwartetes. Er senkte seinen Kopf und ich sah zwei Tränen seine Wangen hinunterrollen. Er drehte sich um, stand auf, nahm seine Sachen und ging fort. Ich stand wie angenagelt da und starrte ihm hinterher. Dann begann ich zu laufen. Ich holte ihn in der nächsten kleinen Bucht ein, ich fiel ihm buchstäblich in den Rücken. Er hatte immer noch wässrige Augen.

Ich umarmte ihn so fest ich konnte. »Es tut mir Leid«, rief ich laut.

Er löste sich von mir und versuchte zu lächeln. »Ist schon okay.«

»Ich bin ein Idiot.« Ich hielt ihn immer noch fest.

»Nein. Ich habe nie einen richtigen Freund gehabt«, murmelte er, »irgendwie scheine ich alle zu nerven. Schon als Kind ließen sie mich immer allein. Aber ich bin's satt, immer alles erklären und rechtfertigen zu müssen. Du bist der Einzige, der mich je richtig verstanden hat.«

Ich zündete zwei Zigaretten an und hielt ihm eine hin. Er nahm ein paar kräftige Züge. »Mich kotzt alles an«, sagte er, »aber es gibt nichts anderes.«

»Doch«, sagte ich, »Mensch, denk an unser Boot! Denk an Halikarnassos!«

»Ach ja, dein geliebtes Meer«, lachte er müde. »Nein, Ömer, das ist nur etwas Vorübergehendes, was für den Sommer. Auf die Dauer langweilt's uns auch. Wir sind eben nicht die Stille gewöhnt, wir brauchen die Städte, die Lichter, den Lärm, machen wir uns nichts vor. Wir können nicht so tun, als ob es außer Sommer keine andere Jahreszeit gäbe.« Er atmete tief durch. »Außerdem kann ich meine Mutter nicht allein lassen.«

»Willst du nur wegen deiner Mutter hier bleiben?«, fragte ich ihn, als ob ich schon längst beschlossen hätte auszuwandern, als ob jeder dasselbe tun müsste und jeder, der das nicht tat, ein vollkommener Idiot wäre. »Dann nehmen wir sie halt mit. Kann sie kochen?«

»Ich habe neulich ein Gedicht gelesen«, sagte er, ohne auf meinen Scherz einzugehen. »Von einem Griechen namens Kavafis. ›Wohin du auch gehst‹, schreibt er, ›deine Stadt nimmst du überall mit dir. Ihr wirst du nie entkommen.‹ Deine Stadt, deine Sprache, deine Sehnsucht, wie du es auch immer nennen willst. Du hast immer etwas im Gepäck, das du nicht loswerden kannst. Deshalb glaube ich nicht ans Fortgehen.« Sein Gesicht erhellte sich einen Moment. »Es sei denn«, fügte er lächelnd hinzu, »da oben, zu den Sternen, das würde mich schon reizen!«

»Ich weiß. Aber ich bin alles so satt. Du magst ja Recht haben, vielleicht ist es woanders nicht besser, aber hier ist es die Hölle.«

Er schaute mich prüfend an. »Würdest du genauso fühlen, wenn dein Vater jetzt nicht im Krankenhaus liegen würde?«, fragte er ohne Umschweife. »Würdest du dann nicht auch diese Träume für Spinnereien halten? Nein, du würdest für die letzte Abiprüfung büffeln und jetzt mit mir darüber diskutieren, ob du lieber Musik oder Jura studieren solltest.«

»Nein! Irgendetwas war schon immer falsch, ich seh es jetzt besser, das ist alles.«

»Dann mach es doch besser!«, sagte er, wie ein großer Bruder, dem man seine infantilen Probleme beichtet. »Ständig darüber zu klagen, wie beschissen alles sei, und davon zu träumen, wegzugehen und irgendwo das Paradies zu finden, das bringt's doch nicht! Ich bin diese Klagen leid, verstehst du? Jeder klagt darüber, wie schlecht unsere Welt doch sei. Dabei sind wir es, die sie machen. Niemand außer uns ist für unser verdammtes Leben verantwortlich, nur wir!«

»Es gibt Berge, die kannst du nicht versetzen.«

»Aber du kannst darauf steigen und alles sieht plötzlich ganz anders aus«, antwortete er und drückte an einem kleinen Baumstamm seine Zigarette aus, verstaute die Kippe in der Streichholzschachtel und sah mich mit traurigen Augen an.

»Ich bin zu schwach, auf Berge zu klettern. Ich fürchte, ich werde immer unten bleiben müssen. Hier, in der Wüste.«

Er schüttelte den Kopf. »Nein«, sagte er, »ich glaube, es ist nur eine Frage des Willens. Die Kraft kommt schon von allein. Du drehst dich um und plötzlich siehst du, dass du schon die halbe Strecke hinter dir gelassen hast.«

IX

In letzter Zeit ist Seyfullah einsamer und bedrückter denn je. Die Menschen um ihn herum sind alle mit etwas anderem beschäftigt – Adnan sieht man nicht mehr, seitdem er dieses Lokal aufgemacht hat, ein Affenzoo mit seinem Sohn als Obergorilla. Seyfullah möchte ihm sagen, dass er sein Leben nicht auf Lügen aufbauen kann, aber die Worte bleiben ihm in der Kehle stecken. Wie kann der Apfel so weit vom Baum fallen – oder habe ich ihm die Lügen unbewusst vorgelebt? Gibt es eine bessere Welt, in die ich meine Kinder hätte entlassen können? Wenigstens Ömer. Er ist ein aufrichtiger Junge, er stellt manchmal Fragen, die Seyfullah nicht beantworten kann. So flüchtet er sich in seinen Raki und seine Lieder – »Ach, habe ich denn diese Welt selbst geschaffen, ach, lass sie untergehen …«

Heute ist Seyfullah nach der Arbeit mit Ali in ein Geschäft am Zoo gegangen und hat dreißig Meter dickes Seil gekauft, zwei Feuerlöscher und einen Rauchmelder dazu. Kostete ihn ein Vermögen. Ali sagt: Du spinnst, in eurem Haus wohnen doch gar keine anderen Ausländer außer euch, meinst du, die kommen bis an deine Wohnungstür und gießen Benzin davor?

Man kann's nicht wissen. Vorsorgen ist besser als klagen, sagt Margret immer. Und der Botschafter hat erst gestern in der Zeitung höchstpersönlich alle ermahnt vorzusorgen. Denn es ist eine verrückte Welt. Die Menschen sind keine Menschen mehr.

Alles, was ich meinen Kindern beibringen wollte, ist wertlos geworden. Respektiere die Alten, liebe die Kleinen. Sei höflich. Lärme nicht in der Öffentlichkeit. Tue niemandem etwas an, was du nicht wünschst, dass es dir angetan wird. Befrage dich immer zuerst selbst, ob du einen Fehler gemacht hast, sei hilfsbereit und ehrlich, sei stolz, aber nicht größenwahnsinnig, denn Gott liebt keine Angeber. Sei bescheiden. Wer sich auf Erden mit wenigem begnügen kann, der wird im Himmel doppelt so viel ernten. Vergiss nicht, dass nur allein du für all deine Fehler und Tugenden belohnt und bestraft werden wirst, die Verantwortung gehört dir allein.

Welche Verantwortung? Seyfullah trinkt und rebelliert gegen den Gott, der ihn im Stich gelassen hat, nicht nur ihn, sondern auch all die anderen, die, den Wandervögeln gleich, tausende von Kilometern hinter sich ließen, um sich auf Bäumen Nester zu bauen, die andere nun einen nach dem anderen zu Kleinholz schlagen. Was sie in unseren Herzen anrichten, ist nicht mehr zu reparieren. Wir vergessen's nicht. Unser Gedächtnis haben wir nämlich jahrzehntelang trainiert, es ist das Einzige, das uns blieb. Die Erinnerungen, unsere Geister.

Nein, Seyfullah, mein Junge, mach dir doch nichts vor. Dein Leben gleicht einer Schrift auf dem Wasser. Bloß ein paar hingekritzelte Zeilen auf den Wellen, die fort sind, sobald man sie angeschaut.

Am Freitag eilte ich von der Schule ins Krankenhaus und wieder nach Hause, weil ich damit rechnete, dass Hucky zurückkommen und ein Lebenszeichen von sich geben würde. Ich war total aufgedreht und konnte nichts anderes tun, als mit der Fernbedienung in der Hand auf dem Sofa zu sitzen und das Telefon anzustarren. Gegen sechs Uhr rief er endlich an. Er sagte, ich sollte die anderen noch nicht verständigen und ihn in einer Stunde vor dem Eingang des Kant-Kinos treffen.

Ich fand erst den zwei Häuser weiter geparkten roten BMW und dann Hucky, der in der kurzen Zeit zehn Kilo abgenommen zu haben schien. Seine Wangen waren völlig eingefallen, er hatte sich tagelang nicht rasiert, ich glaube, er hatte nicht einmal seine Kleider gewechselt, seitdem er Berlin verlassen hatte. Wir gingen in das *Schwarze Café* und setzten uns an den hintersten Tisch im ersten Stock, wo ein paar einsame Männer in dicken Büchern lasen.

Hucky erzählte, wie grün und schön Polen war, wie sich die schmale Landstraße in Richtung Norden durch endlose Wälder schlängelte und wie leicht er mithilfe der Karte aus dem Handschuhfach des BMW den Weg nach Stolp gefunden hatte. Er war spät in der Nacht dort angekommen und hatte erst einmal eine Bleibe gesucht, »im Stadtzentrum, wenn man dieses Nest überhaupt 'ne Stadt nennen kann«, er war schließlich in Richtung der Kirchtürme gefahren und dort auf dem großen Marktplatz fündig geworden – ein kleines Hotel mit einem unaussprechlichen Namen, »das einzige anständige am Ort«, wie der kleine blonde Portier sagte. Das Zimmer war billig, nur fünfzehn Mark, und das Essen, das sie ihm zu so später Stunde noch vorsetzten, schmeckte zwar nicht, dafür zahlte er für ein komplettes Menü mit Suppe und allem nur sechs Mark. Da er todmüde war, schmiss er sich gleich ins Bett und schlief bis morgens um neun durch. Als er runterging, traf er in der kleinen Lobby eine Schar alter Deutscher, die lärmend ihre Schlüssel abgaben und mit einem Bus davonfuhren. Der Portier sagte, seit dem Mauerfall sei ganz Polen voll mit diesen Deutschen auf der Suche nach der alten Heimat.

Ich hörte Hucky ungeduldig zu, hatte jedoch nicht den Mut ihn direkt danach zu fragen, ob er nun etwas entdeckt hatte oder nicht. Und er schien sich schwer zu tun mit dem Eigentlichen, er erzählte ununterbrochen und verlor sich in Details. In einer halben Stunde hatte ich alles über die Heimatvertriebenen, Stolp, seine perfekt restaurierte Altstadt, über die wunderschön geschnitzten, aber zu üppig verstreuten Jesus- und Marien-Ikonen und sogar über die blassen und etwas hausbackenen Polinnen erfahren.

Hucky lief einen ganzen Tag in Stolp herum und außer dem Portier und den Touristen aus Deutschland traf er niemanden, der Deutsch sprach und auch nur annähernd so aussah, als ob er etwas über meinen Vater wissen könnte. So kehrte er am Nachmittag todmüde und frustriert ins Hotel zurück. Er ließ sich in der Lobby in einen Sessel gegenüber dem Fernseher fallen und schaute die Nachrichten auf Polnisch. Nach ein paar Flaschen Bier fiel wieder die deutsche Truppe vom Morgen ein. Sie belagerten im Nu alle Sitzplätze in dem kleinen Lobbyraum und Hucky konnte nicht verhindern, dass auch seine Ecke von lärmenden alten Männern und Frauen besetzt wurde. Zwangsläufig kam er mit ihnen ins Gespräch, denn sein jugendliches Alter machte sie anscheinend sehr neugierig. Woher er käme, weshalb er hier sei, ob er auch nach Gräbern suche, zum Beispiel denen seiner Großeltern, ja, Schreckliches sei passiert, damals, nach dem Krieg, als jeder seine Heimat verlor, und Gott sei Dank sei es ihnen jetzt noch einmal vergönnt, vor dem Tod diese geliebte Stadt wieder zu sehen, wenn es auch wehtue. Hucky sagte ihnen, dass er nichts mit dieser Stadt am Hut hätte und eigentlich nach einer lebenden Person suche und nicht nach Toten. Das weckte ihr Interesse noch mehr. Und da es inzwischen aussichtslos schien, irgendeine Spur meines Vaters zu finden, erzählte er der großen Runde, der sich inzwischen auch der Portier angeschlossen hatte, von einem Türken aus Berlin, der vor zwei Jahren hierher gekommen sei. »Und? Ist er verschwunden? Hier in Stolp? Das ist aber merkwürdig!«, schrien sie im Chor. »Was hat er hier gemacht? In Stolp gibt's nicht eine einzige Dönerbude. Ob er wohl hier eine aufmachen wollte?« Sie debattierten lange darüber, ob sich das Geschäft überhaupt rentieren würde, und kamen zu dem einstimmigen Ergebnis, dass der teure Westimbiss, sei es auch nur Döner – wie viel kostet so ein Ding eigentlich? –, bei den niedrigen Löhnen und Preisen hier überhaupt keine Chance hätte. Diese Diskussion und mehr noch die vielen starken polnischen Biere ermüdeten sie schließlich vollends und sie gingen lärmend in ihre Zimmer hoch. Zurück blieben der inzwischen ziemlich voll gelaufene Hucky und der nicht minder besoffene Portier.

»Du suchst also Türken aus Westen«, sagte er lallend zu Hucky. »Warum? Hat er Schlechtes gemacht? Ein Verbrecher?«

»Nein«, antwortete Hucky, »er ist eher das Opfer eines Verbrechens geworden, in Berlin.« Und er erzählte dem Mann von dem Überfall.

»Ach so!«, rief der Pole. »Ich weiß! Ich höre davon! In Berlin, nicht wahr? Ja, in Berlin. Türke in den Fluss – plumps! Unsere Zeitungen schreiben das. Schlecht, sehr schlecht das alles in Deutschland, wie früher, nicht gut.« Er sprang auf und spielte so lange an dem Knopf des kleinen Fernsehers, bis er wieder einen Nachrichtensprecher auf den Bildschirm bekam. »Fernsehen. Hat auch erzählt, erzählt jeden Tag«, sagte er mit einem komischen Stolz. »Viele Polen gehen nach Berlin. Großer Markt dort. Gutes Geld. Schöne, große Stadt, nicht wahr? Ja, große Stadt Berlin …«

»Wenn dein Hotel das einzige anständige am Ort ist«, hatte Hucky ihn unterbrochen, »könnte er doch auch hier abgestiegen sein, damals.«

Der Portier fühlte sich sichtlich geschmeichelt und lief erst einmal aufgeregt in die Küche, von wo er mit weiteren Bierflaschen zurückkehrte. Er beugte sich über dem kleinen Tisch zu Hucky vor und sagte in einem konspirativen Ton: »Ich weiß nicht, ob Türke war oder nicht, aber vor lange Zeit wirklich ein Orientale hierher gekommen. Er hat komischen Schnaps mit. Bringt ihn runter. Damals war mein Hotel leer. Ganz leer« – er zeigte mit dem Daumen nach oben, wo inzwischen eine Friedhofsstille herrschte –, »noch kein Reichtourismus, weißt du. Wir sitzen zusammen, hier, Gott weiß wie lange, zwei Tage, drei Tage, Abende natürlich, wir trinken dieses komische Zeug, das wird weiß, wenn mit Wasser gemischt. Zaubertrank, sagt er immer. Die Frau lacht! Sie lacht viel. Und er trinkt viel! Aber nicht ...« – er suchte nach dem richtigen Wort.

»Besoffen?«, fragte Hucky.

»Ja! Besoffen! Nicht besoffen. Aber ich bin immer besoffen!« Sie lachten zusammen.

Hucky wollte daraufhin das Gästebuch sehen, aber der Portier schüttelte den Kopf und meinte, die Eintragungen reichten immer nur bis zum Oktober letzten Jahres zurück, weil man nach jeder Sommersaison ein neues, von der Verwaltung Seite für Seite durchnummeriertes Eintragungsbuch bekäme und die alten Bücher zur Prüfung zurückgeschickt würden. Er könne sich auch beim besten Willen nicht an die Namen des Paares erinnern.

»Wer war die Frau?«, fragte ich ganz ruhig. Erst in dem Moment dämmerte es mir, dass es nicht nur die Strapazen der langen Reise waren, die Hucky so zusetzten. Er hatte Dinge gehört, die ihn irgendwie aus der Bahn geworfen hatten, Dinge, die er nicht so leicht herausbrachte, deshalb hatte er mich also allein sprechen wollen, er hatte es geschafft, aber er machte eine Miene, als ob er nun alles zum Teufel wünschte, das Café, in dem wir saßen, das Bier vor ihm, die Zigaretten, mit denen er spielte, das Leben, alles.

»Ömer, ich weiß nicht, was das Ganze soll«, begann er, »das, was dein Vater in Stolp getan hat, hat doch mit dem Überfall nichts zu tun. Ich hab mich auf der ganzen Rückfahrt gefragt: Warum, um Gottes willen, stöbern wir im Leben deines Vaters herum? Ich finde das echt beschissen, damit du's weißt. Verzeih mir, aber er liegt im Krankenhaus und du …«

»Lass das jetzt!«, fuhr ich ihn an. »Willst du mir nun erzählen, was du gehört hast, oder nicht?«

»Also gut«, sagte er mit einer Geste, als ob er nun auch mich und die ganze Geschichte hinreichend leid wäre. »Dein Vater hatte 'ne Frau bei sich, okay, eine Deutsche, ja, sie kam aus diesem verdammten Stolp und suchte irgendwelche Tanten, Onkel oder was weiß ich wen, sie und dein Vater erzählten, dass sie in Berlin wohnten, sie schliefen im selben Zimmer, sie gingen überall zusammen hin, sie waren ein vergnügtes Pärchen, sogar zum Schluss, als sie die Verwandten der Frau nicht lebendig, sondern tot auf dem Friedhof vorfanden, sie gaben dem Portier fünfzig Mark dafür, dass er ihre Gräber pflegte, bis sie wiederkämen, aber sie kamen nicht wieder zurück, okay? Das ist alles!«

Ich starrte ihn an. Er war hochrot, nein, fast lila angelaufen, wich meinem Blick aus und rutschte nervös auf seinem Stuhl hin und her. »Nein«, sagte ich wie im Traum, »das ist nicht alles. Bestimmt nicht.«

»Doch!«

»Mensch, er ist mein Vater!«, schrie ich ihn an. »Ich habe ein Recht zu erfahren, was du schon weißt! Verdammt noch mal, willst du's mir nun erzählen oder nicht?«

Er trank sein Bier aus, stand auf und knallte die Autoschlüssel auf den Tisch. »Okay«, sagte er böse, »sie trugen sich mit demselben Nachnamen ein, verstehst du, mit demselben Nachnamen, auch ihre Pässe waren auf denselben Nachnamen ausgestellt, er hatte einen mit 'nem Halbmond und sie einen deutschen, trotzdem waren sie eindeutig verheiratet. Bist du jetzt zufrieden?«

»Das war nicht mein Vater!«

Er setzte sich wieder hin und legte die Hand auf meinen Arm, als ob er mich davon abhalten wollte, etwas Falsches zu tun. »Das hab ich mir auch gesagt«, meinte er unendlich müde, »deshalb ging ich heute Morgen zum Rathaus. Ich fand die Gästebücher, Ömer, ich erzählte, ich wäre auf der Suche nach meiner Mutter, die verschwunden sei, sie legten sie mir alle auf den Tisch. Ich sah die Bücher der letzten drei Jahre durch. Ich fand ihn, deinen Vater, Seyfullah Gülen. Und Margret Gülen. Ich schwöre dir, sie hieß so. Die Passnummern waren eingetragen.« Er atmete tief durch. »Und die Adresse.«

»Die Adresse? Was für 'ne Adresse?«, fragte ich wie in Trance.

Er nahm einen kleinen Zettel aus seiner Hosentasche und legte ihn auf den Tisch. Mit säuberlicher Handschrift war darauf geschrieben: »Wiener Straße 7, 1000 Berlin 36.«

Ich starrte die Zeilen eine Ewigkeit an. »Das ist ja Kreuzberg«, rief ich erstaunt.

»Das ist nicht nur Kreuzberg«, sagte Hucky mit einer todmüden Stimme, »das ist auch nur zwei Ecken weiter von der Oberbaumbrücke.«

Der Kellner kam und räumte ab. Ich registrierte dumpf, dass Hucky bezahlte. »Komm, lass uns gehen«, sagte er.

»Wohin?«, fragte ich hilflos.

»Nach Hause, wohin sonst.«

Ich griff nach dem Autoschlüssel und stand auf. »Nein!«, sagte ich bestimmt. »Wir fahren zu dieser Adresse!«

»Red keinen Unsinn«, antwortete er erschrocken. Er riss mir den Schlüsselbund aus der Hand. »Komm«, meinte er wie zu einem kleinen Kind, »ich fahr dich nach Hause.«

»Ich sag doch gar nicht, dass wir dort klingeln sollen. Ich will nur mal schauen. Einfach mal schauen.«

Als er merkte, dass ich mit oder ohne ihn dorthin fahren würde, gab er sich geschlagen. Wir stiegen in den Wagen und waren in einer Viertelstunde an der Brücke. Ich bat ihn gegenüber der *Fliege* zu parken. Wir liefen tatsächlich nur zwei Straßen weiter und standen schon vor dem Haus. Es war eine typische Kreuzberger Mietskaserne, zwei Hinterhöfe und ein Gartenhaus. Es dauerte nicht eine Minute, bis ich den Namen »Gülen« gefunden hatte. Aber es stand nicht nur Margret davor. »Margret und Laila Gülen«, las ich leise vor. Margret und Laila. Ich drückte wütend auf die Klingel. Nichts geschah. Gerade, als wir gehen wollten, begann der Türöffner zu summen. Ich fand nicht den Mut hineinzugehen.

Der alte Mann spielte die Bouzouki und sang Lieder mit schweren Rhythmen, die ich nicht verstand, und doch wusste ich genau, wovon sie erzählten. »Komm, trink!«, rief der Dicke, dessen Namen ich nicht kannte, er war angeblich ein türkischer Jazzmusiker, so hatte er mir jedenfalls schon beim ersten Glas erzählt. Er war stockbesoffen an unseren Tisch gekommen, und keinem von uns gelang es, ihn wieder zum Aufstehen zu bewegen, das wäre wohl nicht einmal den Kränen auf dem Potsdamer Platz gelungen, er schien zeitweilig in einen tiefen Schlaf zu fallen, dann wachte er abrupt wieder auf, holte aus seiner Jeansjacke einen Zettel nach dem anderen und zeigte uns Adressen in Oslo und London, New York und Athen und behauptete, von all diesen Städten Einladungen bekommen zu haben, natürlich zum Spielen, natürlich in den besten Klubs, aber – er öffnete sein Portemonnaie und hielt mir das Foto einer jungen Frau mit großen grünen Augen vor das Gesicht – »ich kann nicht weg, denn ich liebe diese Frau, weißt du, ich liebe sie wirklich, ich kann ohne sie nicht leben.« – »Das ist doch die Sema!«, rief Murat. »Ja, die Sema«, lallte er, »der Himmel, die Sema, wenn ich sterbe, bleibt nur ein Hauch von mir in diesem Himmel zurück, ein Hauch von mir ...« Plötzlich sprang er auf und öffnete seine Arme zum Tanz. Er bewegte sich minutenlang überhaupt nicht, dann begann eine unsichtbare Kraft ihn zu führen, wohl die Seele, von der er zuvor gesagt hatte, sie würde jetzt auf Ikaria – oder war es Kreta? – mit den Fischerfrauen fremdgehen, mit den Witwen in Schwarz, mit den jungen Bräuten, die am Kai promenierten und dabei den *palikari* obszöne Blicke zuwerfen, die diese heimlich erwiderten, dann wurde Hochzeit gefeiert, »Hochzeit!«, rief er durch das Lokal, alle klatschten Beifall. »Camus!«, schrie er. »Das Leben anfangen mit der ganzen Welt als Zeuge! Was für ein phantastischer Beginn!« – *»Yassou!«*, riefen die Griechen, eine Frau ging neben ihm in die Hocke und klatschte seinem Tanz Beifall, dicke Bündel von Bierdeckeln flogen durch die Gegend, ich kippte meinen eiskalten Ouzo hinunter und sah seinem Tanz zu, ich wünschte, ich könnte auch so tanzen, ich wünschte, ich könnte das Leben auch so anfangen, alles verstehen, nein, fühlen, sagte Kenan, fühlen muss man es, wir können's eben nicht, mach dir nichts vor, doch, ich kann es, ich fühle es, ich lerne es, ich lebe es … Dumpfe Geräusche hallten an mein Ohr, die Stimme von Kenan, komm, wir bringen ihn nach Hause, nein, sagt Hucky, lasst ihn doch, es geht ihm gut, ja, sagt Murat, lass doch, morgen ist Samstag … Der alte Mann sang unaufhörlich weiter, Kenan, hör gut zu, dieses Lied, hörst du's, es erzählt von Verrat! Von Liebe und Verrat! »Sie hatte schwarze Augen«, begann ich auf Türkisch im Takt der griechischen Klänge zu singen, »schwarze Augen und einen roten Mund, sie roch nach Rosen und sie lachte laut, Maria … Maria!« – »Maria!«, rief einer vom Nebentisch. *»Elefteria!«* Auf die Freiheit! Auf Maria!

Dann blickte ich plötzlich in Adnans Gesicht. »Oh«, sagte ich überrascht, »mein Bruder! Adriano! *Prego, Signore*, einen Cappuccino!«

Er antwortete nicht, sondern packte mich am Arm und

versuchte mich aufzurichten. Als er es mit einer Hand nicht schaffte, griff er unter meine Achseln und zog mich langsam hoch.

»Lass das!«, schrie ich ihn an. »Ich kann allein gehen, *tamam*! Mein geliebter Bruder!«, fiel ich ihm in die Arme. »Weißt du was? Margret! Laila und Margret, Margret und Laila …«

»Ich weiß«, sagte er leise. »Komm, lass uns nach Hause gehen. Es ist schon spät.«

»Nach Hause? Wohin nach Hause? Zu uns, zu ihr, zu dir, wohin …«

Kenan stand auf und half ihm, mich hinauszutragen. Ich nahm verschwommen, sehr verschwommen wahr, wie ich in ein Auto geschoben wurde, Häuser und Lichter glitten an meinen Augen vorbei, mein Kopf schien einem anderen Körper zu gehören, mir wurde schrecklich übel, wir hielten an, ich stieg aus, wieder ein, nun etwas nüchterner, ich schaffte es ohne einen weiteren Stopp bis nach Hause und ließ mich von Adnan ausziehen, ins Bett legen und bevor ich die Augen schloss, sah ich, wie meine Mutter das Zimmerfenster weit öffnete und mit besorgter Stimme sagte: »Etwas frische Luft, die wird ihm gut tun. Etwas frische Luft.«

Am nächsten Tag fuhr Adnan in aller Frühe nach Köln, um an der großen Demonstration teilzunehmen. Ich wachte erst gegen drei Uhr nachmittags auf, so schlecht war es mir in meinem ganzen Leben nicht gegangen. Meine Mutter kochte mir Pfefferminztee mit viel Zitrone drin, sie öffnete die Fenster und ließ die Sonne herein, sie röstete Brot und brachte Vitaminsäfte. Endlich ging es mir etwas besser.

Ich legte mich im Wohnzimmer aufs Sofa, schaltete den Fernseher ein und schaute den ganzen Tag abwechselnd Fußball und die Nachrichten. Zwischen den Toren fiel ich in eine Art Halbschlaf, ich träumte aber nicht, sondern dachte einfach nach. Ich fühlte mich über Nacht gealtert, woher kam dieses Gefühl nur? War es die Zerstörung einer Illusion, die mich so fühlen ließ? Die Einsicht, dass es keinen Gral zu finden gab, dass es um ein billiges Ding aus Blech ging, um ein verdammtes billiges Ding aus Blech? Ich starrte den kleinen Rauchmelder an der Decke an und blies den Rauch meiner Zigarette in seine Richtung. Er reagierte nicht, dafür rebellierte mein Magen gegen den ersten Nikotinschub.

Wie hatte er es geschafft, alles vor uns geheim zu halten? Jahrelang. Nein, ich war nicht neugierig auf diese Frau, außerdem hatte ich sie ja schon gesehen, auf diesen Bildern, das war sie, das wusste ich genau.

Und das kleine Mädchen?

Ich hatte nur einen Bruder. Niemand, beschloss ich, niemand kann verlangen, dass ich sie meine Schwester nenne. Niemand! Und wenn es ihm wieder besser geht, dann wird er uns das alles erklären müssen. Das ist er uns schuldig.

»Nach Angaben der Veranstalter nahmen heute zwanzigtausend Menschen an einer großen Demonstration in der Kölner Innenstadt gegen die Ausländerfeindlichkeit in Deutschland teil«, verlas der Nachrichtensprecher mit monotoner Stimme. »Die Demonstration, zu der neben türkischen Vereinen auch die Grünen und Gewerkschaften aufgerufen hatten, verlief friedlich. Anlass dazu gab der Fall des türkischen Arbeiters Seyfullah Gülen …« – Gühlen – »… Von den am Tatort gesichteten Skinheads fehlt bislang jede Spur … Die Polizei ermittelt in alle Richtungen … Für Hinweise, die zur Klärung des Falles führen, wurde eine Belohnung in Höhe von zehntausend Mark ausgesetzt.«

Alle Achtung, das Kopfgeld verdoppelt. Nutzte aber nichts. Kleine Kinder auf dem Arm ihrer Eltern lächelten in die Kamera und winkten mir zu. Ein Türke schrie zornig ins Mikrofon: »Wir arbeiten hier, wir zahlen Steuern, wir sind auch Menschen!« Der Reporter sprach in einem bedrückten Ton, als ob er nicht von einer aufgeregten Demonstration, sondern von der Synode der Evangelischen Kirche berichtete. Auch die Wortführer der Versammlung schienen peinlichst genau nach den richtigen Worten zu suchen, während die einsame Kerze auf dem silbernen Tablett in ihrer Hand dem Wind auf der Domplatte zu trotzen versuchte. Adnan kam auch zum Zug. Mit der Unterzeile »Der Sohn des Opfers« erzählte er von der Ungerechtigkeit, die unserem Vater widerfahren war, von den schleppenden Ermittlungen, von dem Unbehagen, das dies »bei uns« auslöste. Aus mit dir, Adnan, dachte ich im Stillen, jetzt, wo die ganze Nation dich auf dem Bildschirm hat, wirst du dich nicht mehr als *Prego, Signorina* ausgeben können. Wenigstens etwas, das meinem Vater gefallen wird.

Ich musste eingenickt sein, denn als ich die Augen öffnete, war es schon dunkel geworden. Meine Mutter hatte mich mit einer Wolldecke zugedeckt. Sie saß in ihrem Sessel und strickte.

Ich drückte auf den Knopf des Fernsehers und schaltete wieder den Nachrichtenkanal ein. Nach den Wirtschaftsmeldungen, dem Stand der Verhandlungen zwischen den Koalitionspartnern über die Rentenreform und den Börsenkursen kamen das Reisewetter, Werbung und endlich wieder Nachrichten. Die Demonstration war der Aufmacher. »Nach dem friedlichen Verlauf der Großkundgebung in der Kölner Innenstadt gegen die Ausländerfeindlichkeit in Deutschland kam es am Abend zu heftigen Auseinandersetzungen zwischen Demonstranten und der Polizei«, verlas der Sprecher. Wacklige Bilder hetzten über den Bildschirm. Meine Mutter legte ihr Strickzeug weg und starrte gebannt auf die umgeworfenen und ausgebrannten Autos, die eingeschlagenen Schaufenster, die türkischen Jungs, die die Polizei mit Steinen bewarfen, Hundertschaften waren angerückt, »auch Beamte des Grenzschutzes wurden eingesetzt«, ein älterer deutscher Passant schüttelte den Kopf und schrie ins Mikrofon: »Das sind nichts als Rassenunruhen! Was die hier machen, hat mit Protest nichts mehr zu tun!« Der Sprecher des Innenministeriums sprach von »Missbrauch des Gastrechts« und der Reporter behauptete, zahlreiche Geschäfte in der Kölner Innenstadt seien ausgeplündert worden.

Türkische Vereine versuchten, das Verhältnis von Ursache und Wirkung wiederherzustellen, indem sie »den brutalen Überfall« auf meinen Vater den wahren Grund des »berechtigten Zorns der türkischen Minderheit« nannten, aber es gleichwohl »bedauerten, dass der friedliche Protest in Gewalt umgeschlagen« sei.

»Hay Allah«, sagte meine Mutter und zupfte an ihrem Kopftuch, »hoffentlich ist Adnan nichts passiert!«

Es passierte etwas, das nicht mehr in den Griff zu bekommen war, in unseren Köpfen nicht und auch nicht auf den sauberen und gepflegten Straßen des Landes, das ich nicht mehr als meins bezeichnen konnte. Ich glaubte damals, es müsste eine verdammt lange Zeit vergehen, bis ich wieder einen Schimmer von Sympathie dafür entwickeln könnte, und weitere Vorfälle mit Todesopfern ließen uns alle tatsächlich lange nicht zur Ruhe kommen. Aber trotzdem kehrte sie wieder ein, die Ruhe.

Vielleicht brauchten wir sie so sehr, dass wir sie erzwangen. Denn die meisten von uns hatten nicht den Mut oder die Kraft wegzugehen. So nahm unser Leben wieder seinen vorgeschriebenen Gang und jeder von uns versuchte es auf seine Art.

Aber ich habe ja noch gar nicht zu Ende erzählt.

Es war der darauf folgende Freitag, ich ging wie jeden Tag mit meiner Mutter ins Krankenhaus, aber das Bett meines Vaters war diesmal leer. »Er ist erst vor zehn Minuten hinuntergebracht worden«, sagte der Arzt traurig. »Es tut mir sehr Leid … Sie wissen, dass wir alles getan haben, das in unserer Macht steht ... Wollen Sie ihn noch einmal sehen?«

Nach einer unendlichen Stille sagte meine Mutter: »Nein, wenn er schon fort ist.«

Wir gingen zum Taxistand und stiegen in einen Wagen. »Stört Sie die Musik?«, fragte der junge Fahrer. Auch diesmal sagte meine Mutter nur: »Nein.«

Die Wohnung füllte sich innerhalb von wenigen Minuten, als meine Mutter der neugierig am Fenster wartenden Nachbarin gesagt hatte, dass »mein Seyfullah fort ist«. Am Freitag, diesem heiligen, gesegneten Freitag. Natürlich war es fürchterlich, so fürchterlich, dass ich nach einem kurzen Anruf bei Adnan sofort wieder auf die Straße rannte, um nach Luft zu schnappen. Ich weiß nicht, was ich in den vielen Stunden gemacht habe, bis es endlich Abend wurde, ich glaube, ich bin nur gelaufen, ziellos am Ku'damm entlang, durch die Bleibtreustraße zum Savignyplatz, ich lief an den Schaufenstern und den Menschen vorbei, für die sich nichts, aber auch gar nichts geändert hatte, ich lief zur Schule und kletterte über die Mauer, saß auf den Zuschauerbänken des Basketballplatzes und da dies der einzige Ort war, an dem ich endlich allein war, weinte ich hemmungslos. Es wurde dunkel. Ich legte mich auf die Bänke und beobachtete den Himmel. Der Vollmond thronte selbstgefällig inmitten der Finsternis, die er selbst geschaffen hatte. »Er isst die Sterne auf«, hatte mein Vater einmal gesagt. Wie lächerlich ich das damals gefunden hatte. »Der Mond ist doch kein Mensch«, hatte ich geantwortet. Vielleicht hatte mein Vater doch Recht gehabt, was spukte in seinem Kopf herum, woher nahm er immer diese Kraft, völlig nebensächliche, ja lächerliche Dinge zu kleinen Weltwundern aufzubauschen? Für ihn gab es auch für die kompliziertesten Dinge immer eine einfache Erklärung oder waren sie etwa nicht so kompliziert, wie sie schienen? Ich wünschte, er hätte mir einen Teil dieses Geheimnisses mitgegeben, bevor er wegging, dachte ich, schloss die Augen und lag da wie tot, bis der Hausmeister mich wegscheuchte.

Auf dem türkischen Friedhof am Columbiadamm gab es keine freien Plätze mehr, und meine Mutter war ohnehin der Meinung, dass mein Vater unbedingt in seinem Dorf begraben werden wollte. Adnan gab ihr Recht, so überließen wir alle Formalitäten ihm.

Wir machten meinem Vater in der Friedhofsmoschee eine kleine Feier, damit sich die Freunde von ihm verabschieden konnten. Dort lernte ich endlich auch Ali und Mehmet kennen, die beide sehr alt und traurig aussahen, ich hätte sie nie für die Männer auf dem Wannseebild gehalten. Sie bestanden darauf, den Sarg meines Vaters mit uns auf den Schultern zum Wagen zu tragen.

Margret und Laila kamen nicht zur Moscheefeier, ich glaube, niemand hat sie dazu eingeladen. Manchmal frage ich mich, was aus ihnen geworden ist. Ich mache mir sogar Vorwürfe, damals nicht durch diese Tür gegangen zu sein, sie nicht gesehen, gesprochen zu haben, denn sie waren ein Teil meines Vaters. Aber ich wollte ihn nicht mit ihnen teilen und ich weiß nicht, ob ich das heute ohne weiteres könnte.

Der Sarg meines Vaters wurde in die türkische Fahne gehüllt, Fernsehkameras und Reporter belagerten den kleinen Moscheenhof, Übertragungswagen und Kabelrollen versperrten der Gemeinde den Weg. Der Imam sprach Gebete und beklagte das Leid, das der Tod meines Vaters in unseren Herzen ausgelöst hatte, seine klare, kräftige Stimme ging uns allen unter die Haut, und als er fragte, wie die Gemeinde den Toten in Erinnerung behalten würde, riefen wir alle im Chor: »Gut!« So wurden ihm alle Vergehen in dieser Welt vergeben, er stieg in den Himmel auf, in die Höhen, vor denen er sich hier unten immer gefürchtet hatte.

Adnan und meine Mutter flogen mit dem Sarg nach Hause und ließen mich zurück. Die mündliche Abiturprüfung stand unmittelbar bevor. Meine Mutter packte zwei große Koffer und hinterließ im Kühlschrank Essen, das mir wahrscheinlich jahrelang gereicht hätte, wäre nicht Kenan sofort zu mir gezogen, »nur bis zum Ende des Abis«, wie er sagte, ich weiß nicht, wie ich es ohne seine Hilfe bestanden hätte.

Die Nachricht vom Tod meines Vaters ging offensichtlich um die ganze Welt, und da das Rätsel über die Umstände seines Sturzes noch nicht geklärt war, gab es in allen Städten Demonstrationen, auf denen wieder Steine flogen, Autos in Brand gesteckt und Schaufenster eingeschlagen wurden. Ich saß mit Kenan zu Hause und schaute tagelang nur Nachrichten und beantwortete Anrufe. Türkische Radiosender von Australien bis zur Türkei riefen an und machten Interviews mit mir, *BBC* und *CNN*, *Spiegel* und *Stern*, ich glaube, in jenen Tagen sprach ich mit allen Zeitungen, Fernseh- und Radiosendern dieser Welt. Und erzählte allen immer nur dasselbe: »Ja, ich bin traurig, ja, ich bin wütend, nein, ich will keine Rache, ja, mein Vater wird in seinem Heimatdorf begraben, nein, wir bleiben hier, ja, es ist eine Schande, nein, die Täter sind noch nicht gefasst ...« – bis die Diskussionen über die Rentenreform »den Fall Gülen« auf den zweiten, dritten, vierten Platz verwiesen und zum Schluss völlig aus den Nachrichtensendungen gedrängt hatten – bis zum nächsten Fall.

Ich hatte mit Adnan beschlossen, meiner Mutter nichts über Margret und Laila zu erzählen. Ich weiß heute noch nicht genau, was meine Mutter über das Ganze denkt. Wir haben nie darüber geredet.

In jenen Tagen jedenfalls wurde schlagartig eine andere Frau aus ihr. Sie saß nicht mehr wie eine Diebin im eigenen Haus auf den Sofa- und Stuhlkanten, sondern richtig in der Mitte. Sie lehnte sich zurück und legte ihre Arme zur Seite. Nach ihrer Rückkehr aus der Türkei begann sie sogar, auf der Volkshochschule Deutsch zu lernen. »Alles bleibt in der Familie« – ob sie es gewusst hat, oder nur geahnt? Ob sie all die Jahre lang geschwiegen hat? Sie hat nie ein Wort darüber verloren.

Auch Adnan veränderte sich nach dem Tod meines

Vaters. Er hörte mit seiner Maskerade auf, übergab sein Lokal einem echten Italiener und eröffnete ein anderes auf dem Prenzlauer Berg, im Ostteil der Stadt, das in seiner postmodernen Ausstattung dem alten nicht nachstand, bloß taufte er es jetzt *Sindbad.*

Von uns allen wanderte nur Hucky nach dem Abitur nach Madrid aus, wo er in einer Bar einen Job bekam und eine Spanierin heiratete. Kenan und ich gingen beide nach Hamburg. Kenan begann ein Medizinstudium und ich ließ mich für Jura einschreiben.

Kommissar Löbel, der auch zur Moschee gekommen war, tauchte nach einer Pause von etwa zehn Tagen wieder auf. Eines Nachmittags stand er, wie an jenem Morgen, an dem er die Nachricht des Unfalls gebracht hatte, zögernd an unserer Tür und fragte, ob er mich ohne meine Mutter sprechen könne. Als er hörte, dass sie mit dem Sarg meines Vaters in die Türkei geflogen war und noch eine Weile dort bei der Familie bleiben würde, kam er herein.

Wir boten ihm Tee, Kaffee und Bier an und er wählte das letztere. Er schob das Glas zur Seite und nahm einen kräftigen Schluck aus der Flasche.

»Wenn ich nur wüsste, wozu diese Welt noch gut ist«, murmelte er und legte die aktuelle *Extra* auf den Tisch. »Ich weiß es bereits seit einiger Zeit, aber ich hatte nicht den Mut, mit dir darüber zu sprechen.«

Da ich seit dem Tod meines Vaters keine Zeitung mehr gesehen hatte, nahm ich sie neugierig in die Hand. »Deutsche Ehefrau des Gastarbeiters!« – Kurt Wenzel mit kleinem Foto gleich unter dem Aufmacher, er hatte es also zum Schluss doch geschafft. Aber seins war nicht das einzige Bild auf der Titelseite. Eine ältere Frau hatte ihre ausdruckslosen, müden Augen auf die Kamera gerichtet. »Margret Gülen (56) trauert um ihren türkischen Ehemann«, begann ich zu lesen und hörte nicht damit auf, bis ich alles gelesen hatte und die Zeitung aus der Hand legte. Wenzel hatte alles herausgefunden, was herauszufinden war. »Ich verzichte auf jedes Erbe«, hatte sie gesagt, »meine Tochter möchte auch nichts.« Andere Bilder auf der nächsten Seite zeigten sie und auch ihre Tochter fröhlich lachend an verschiedenen Orten, in Hamburg, Berlin, ja auch in der Türkei, wo sie noch vor zwei Jahren Urlaub gemacht hatten, bevor sie nach Polen geflogen waren.

Ihre Lebensgeschichte schien die Zeitung so interessant zu finden, dass sie gleich eine Serie daraus gemacht hatte, der erste Teil erzählte von ihrer »schwierigen Kindheit in Stolp«. Der Kloß in meinem Hals kehrte wieder zurück, als ich die Anfangszeilen eines Kästchens auf der linken Seite las: »Seyfi machte mich glücklich und dafür danke ich ihm. Er war ein wunderbarer Mann und ein sehr guter Vater.«

Löbel war jedoch nicht gekommen, um mir die Zeitung zu zeigen. »Wir haben diese Kerle, ich meine die Skinheads, gefunden«, sagte er leise. Er schien auf etwas zu warten, eine Überraschungsgeste, einen Jubelruf, ich weiß nicht was, aber es kam nicht. »Nun«, fuhr er verlegen fort, »sie sagen, sie hätten damit nichts zu tun und ich weiß nicht, wie man sie packen kann. Der Staatsanwalt wird sich darum kümmern, aber ich kann dir nichts versprechen.«

»Was soll das heißen?«

»Ihre Aussagen decken sich alle miteinander. Auch die Zeiten, die sie angeben, scheinen völlig korrekt zu sein. Sie waren da, aber sie haben deinen Vater nicht gesehen, geschweige denn angefasst, behaupten sie. Sie fuhren los, gleich auf die Autobahn und machten an der Tankstelle vor Königswusterhausen Halt. Ob sie es waren oder nicht, ist nicht festzustellen, denn es geht dabei nicht um Stunden, sondern um Minuten. Dein Vater hatte keine Prellungen am Körper. Das bedeutet natürlich überhaupt nichts, aber …«

»Aber man kann es nicht beweisen, denn es gibt keine Zeugen«, sagte ich.

»Genau!« Er leerte die Flasche und spielte nachdenklich mit dem Etikett; er löste es ab, rollte es in seinen Fingern zu einem dünnen Stab und ließ es in den Aschenbecher fallen. »Ich habe eine Vermutung, wie es sich abgespielt haben könnte«, sagte er, »aber du darfst nicht denken, dass ich mir das mit böser Absicht aus den Fingern sauge, okay?« Er starrte fragend in mein Gesicht, ich zuckte mit den Schultern. »Dein Vater kommt wie immer nach seinem Besuch bei … nun, er kommt also wie immer an der Brücke vorbei und er hat keine Zigaretten mehr, also holt er sich welche in der Kneipe. Er kommt wieder aus der Tür heraus, läuft ein paar Schritte, da sieht er die Skinheads mit ihrem Auto. Er muss sich unheimlich erschrocken haben. Was macht man in so einem Augenblick? Man kehrt um und rennt in die andere Richtung, nicht wahr? Aber da war es verdammt hell, dort, wo die Brücke anfängt, dazu noch total einsam, keine Häuser, keine Bäume, kein Gebüsch, nichts, wohinter man sich schnell verstecken kann. Die Kerle haben ein Auto und können einen Fußgänger im Nu einholen. Das muss in wenigen Sekunden durch seinen Kopf geschossen sein, bevor er über den niedrigen Zaun kletterte, um sich hinter einem Baum am Ufer zu verstecken, denn dort war es am dunkelsten, ich hätte es auch so gemacht.« Er trank aus der zweiten Flasche, rauchte und erzählte weiter. »Aber das Ufer ist an der Stelle verdammt steil, nicht wahr? Und dein Vater litt an Höhenangst, Gott weiß, wie er darunter litt! Das steht sogar in seiner Zirndorfer Akte.«

»In was für 'ner Akte?«

»Bei der Ausländerzentralerfassung«, sagte er mit ausdrucksloser Miene.

»Wollen Sie damit sagen, dass er einfach ins Wasser gefallen ist?«

Er antwortete nicht und senkte die Augen. Nach einer Ewigkeit sagte er: »Er muss in doppelter Panik das Gleichgewicht verloren haben. Ich glaube, er ist selbst hineingestürzt. Leider.«

»Auch wenn sie ihn nicht angefasst haben, sind sie schuldig«, sagte ich. »Das ist wie beim Kaninchen und der Schlange. Wenn das Kaninchen die Schlange sieht, kriegt es 'nen Herzanfall und ist auf der Stelle tot. Würden Sie nicht die Schlange für seinen Tod verantwortlich machen?«

Löbel schwieg lange, bevor er eine Antwort gab, eine Antwort, die scheinbar nichts mit meiner Frage zu tun hatte: »Ich lasse mich im November vorzeitig pensionieren«, murmelte er kraftlos.

Ich stand nicht auf, als er die Wohnung verließ.

X

Es ist Sommer und das Meer erstreckt sich vor Seyfullahs Augen wie eine dunkle Bühne mit tausenden von funkelnden Sternchen darauf. Das Orchester spielt eine fremde Melodie und er lässt sich auf der großen Tanzpiste des Feriendorfes von Margret führen, deren Hände er wie leichte Flügel auf seiner Schulter und in seiner eigenen groben Hand fühlt, er hat Angst sie zu fest zu drücken, denn sie ist zerbrechlich. Sie schmiegt sich wie ein warmes Kätzchen an seine Brust und flüstert in sein Ohr: »Seyfi, ich bin ja so glücklich.«

Seyfullah schließt seine Augen und träumt. Er sitzt auf einer weißen Stute und reitet durch die Berge, in denen er immer mit seinem Vater jagen ging, und sein Vater mit dem Großvater und der mit seinem …

Aber Seyfullah ist allein.

Er hat es ja so gewollt.

Je länger er reitet, desto schneller wird das Pferd, es schnauft kräftig durch die Nüstern, die kleinen Atemhauche wachsen in der kalten Bergluft zu großen Wolken zusammen und umhüllen den Reiter und sein Tier – aber das ist noch nicht alles. Der Stute wachsen langsam Flügel und sie trägt ihn bis auf die oberste Spitze, dorthin, wo die Täler sich wie grüne Samtlaken unter seinen Füßen ausbreiten, von wo aus er die gesamte Erde mit all ihren Erhebungen und Vertiefungen, mit ihren riesigen Ozeanen und den vielen kleinen Menschen darauf überblicken kann – die kleinen Menschen! Sie sitzen am Fenster und schauen dem Treiben auf der Straße zu, sie hängen Wäsche auf und eilen zum Bus, sie halten wichtige Reden über die Zukunft der Menschheit und schlafen friedlich in ihren Betten, sie streiten und lieben sich – aber das ist noch nicht alles. Seyfullah sieht sie auf die Welt kommen, altern und sterben, die Zeit läuft vor seinen Augen ab wie ein Film, der zu schnell vorgespult wird, und gleichzeitig werden andere geboren, es ist zum Verrücktwerden, denkt Seyfullah in seinem Traum, denn er steht draußen und es passiert ihm gar nichts, aber doch, er betastet sein Gesicht und fühlt seine Falten, sein Bart ist hart und wächst nicht mehr so üppig nach, er befühlt sein schütter gewordenes Haar und schaut auf seine dünnen Beine herunter, er ist ein alter Mann geworden, doch fühlt er sich wie zwanzig – aber das ist noch nicht alles. »Nur junge Menschen können die Welt erobern«, flüstert sein Vater in sein Ohr. »Du bist noch so jung!« Seyfullah fühlt den Wind durch sein Haar wehen und den warmen Körper des Tieres an seinen Schenkeln pochen. »Ich werde die ganze Welt erobern!«, schreit er vom Gipfel herunter, seine Stimme hallt an den Bergen und kommt wieder zu ihm zurück, sie wird zu einem gewaltigen Chorgesang, alle Menschen halten plötzlich still und blicken zu den wolkenverhangenen Gipfeln herauf. »Wie willst du das denn schaffen?«, schreit einer zurück. »Mit meinen Träumen!«, erwidert Seyfullah – aber das ist noch nicht alles. Denn der Himmel füllt sich plötzlich mit einem Lachen, Margret lacht und wirft ihren Kopf zurück, auch Seyfullah lacht, er lacht, wie er nie in seinem Leben gelacht hat, er lacht über die vielen Menschen, die ihre Zeit mit den unwesentlichsten Dingen der Welt verbringen, er lacht über ihre Streitigkeiten, über die Papierstücke, hinter denen sie herjagen, er lacht über die Namen, die sie sich geben und derentwegen sie sich aufteilen und bekriegen, er lacht über seine Ängste und die vielen anderen Nebensächlichkeiten, die nicht einmal den Kern einer Feigenfrucht füllen würden, ja, nicht einmal den Kern einer Feigenfrucht. Seyfullah lacht über sich selbst und seine eigene Torheit, Margret in seinen Armen, ihre Wange an seinen offenen Lippen, ihr schönes Haar auf seinem Gesicht, er lacht über seine Vergänglichkeit, er lacht und hört nicht mehr auf über seine eigene Torheit und die der anderen zu lachen – aber das ist noch nicht alles. Nein, das ist bestimmt noch nicht alles.